KB152224

Anatomy
of **spinal cord** and **peripheral nerves**

척수와
말초신경 해부학

Korean
Spinal
Neurosurgery
Society
1987

대한척추신경외과학회

군자출판사

척수와 말초신경 해부학

첫째판 1쇄 인쇄 | 2016년 9월 7일
첫째판 1쇄 발행 | 2016년 9월 22일

지 은 이 대한척추신경외과학회
발 행 인 장주연
출 판 기 획 옥요셉
편집디자인 박은정
표지디자인 김재욱
일 러 스 트 김경렬
발 행 처 군자출판사
등록 제 4-139호(1991. 6. 24)
본사 (10881) **파주출판단지** 경기도 파주시 회동길 338(서패동 474-1)
전화 (031) 943-1888   팩스 (031) 955-9545
홈페이지 | www.koonja.co.kr

ISBN 979-11-5955-092-8

정가 40,000원

■ **편찬위원장**
  장호열 건강보험 일산병원, 연세의대

■ **간사**
  임수빈 부천순천향병원, 순천향의대

■ **편집위원**
  박형기 서울순천향병원, 순천향의대
  이상훈 건강보험 일산병원, 연세의대

(가나다 순)

구성욱	강남세브란스병원, 연세의대	**이정길**	전남대병원, 전남의대
김치헌	서울대병원, 서울의대	**임수빈**	부천순천향병원, 순천향의대
문봉주	전남대병원, 전남의대	**장호열**	건강보험 일산병원, 연세의대
문홍주	고대안암병원, 고려의대	**정용태**	부산백병원, 인제의대
박형기	서울순천향병원, 순천향의대	**정천기**	서울대병원, 서울의대
이상구	길병원, 가천의대	**정태석**	길병원, 가천의대
이상훈	건강보험 일산병원, 연세의대	**조용은**	강남세브란스병원, 연세의대
이장보	고대안암병원, 고려의대	**팽성화**	부산백병원, 인제의대

1987년 12월 19일 한양대병원에서 정환영교수님을 초대회장으로 대한척추신경외과학회가 창립된 이후, 올해 제30차 정기학술대회를 개최하게 되었습니다. 그동안 대한척추신경외과학회는 꾸준한 성장을 하여 왔습니다.

그동안 대한척추신경외과학회는 다양한 척추질환의 가장 정확한 진단 및 치료의 지침이 되는 "척추학", "Surgical Atlas of Spine", "척추학 2판"을 출판하여, 척추를 전공하는 의료인들에게 최신의 정확하고 객관적인 의학 정보를 제공하고 공부할 수 있도록 하였으며, 법조계, 언론계 등에도 가장 정확하고 객관적인 지식을 확인하고 이용할 수 있도록 하여 왔습니다.

이번에는 신경외과의 기본인 신경해부학 중에서 척수와 말초신경에 관한 교과서를 출판하게 되었습니다. 척수와 말초신경의 해부학은 신경외과 전공의들이 반드시 공부하여야 하는 부분입니다. 또한 전문의가 되어 척추 환자를 진료할 때, 척수와 말초신경의 해부학을 숙지하여야, 환자가 호소하는 문제에 대한 정확한 해부학적 설명을 할 수 있게 됩니다. 이는 최선의 치료를 할 수 있는 토대를 제공할 것입니다. 본 교과서에서는 임상에서 필요한 신경해부학에서 뇌 부분은 제외를 하였고, 척수 및 말초신경에 한하여 서술하였습니다. 우리 학회에서 발간한 이전의 책에 비하여 분량이 작지만, 필요한 지식을 충분히 전달할 수 있을 것이라 확신합니다.

이 책이 나오는데 가장 큰 기여를 해 주신 장호열 교과서편찬위원장과 편찬위원들에게 대한척추신경외과학회를 대표하여 깊은 감사의 말씀을 드립니다. 또한 물심양면으로 많은 지원을 해 주신 군자출판사 장주연 대표와 직원들의 노고에도 감사를 드립니다.

2016년 9월 5일

대한척추신경외과학회 회장 **정천기**

이 책의 편찬위원장을 맡아서 정해진 기간 내에 출판을 할 수 있게 되어 이 책에 관여한 분과 독자들께 감사를 드립니다.

신경외과를 전공하면서 신경해부학은 필히 익히고 반복적으로 찾아보아야 할 기본서적입니다. Carpenter's Neuroanatomy가 절판된 지 오래되어서 신경외과 전공의들이 알아야 할 신경해부학에 대한 공부를 하는데 많은 어려움이 있었습니다. 우리 대한척추신경외과학회에서는 뇌를 제외하고, 척수 및 말초신경에 대한 해부학 서적을 만들었습니다. 이 교과서가 신경외과 전공의는 물론 전문의가 된 이후에도 가끔 신경학적 증상이 이해되지 않을 때에 찾아보고 다시 해부학적 지식을 무장할 수 있는 책이 되었으면 합니다.

독자의 눈높이에 맞추어 이해하기 쉬운 글과 이해하기 쉬운 그림을 그리고자 노력하였습니다. 저자들의 혼신이 들어간 원고와 군자출판사의 편집팀 및 medical illustrator들의 협력으로 이해하기 쉬운 글과 그림을 완성하였습니다.

각 학회별로 필요한 교과서가 있습니다. 특히 외과계 학회의 경우에는 교과서, 수술 도해도(Surgical Atlas), 그리고 수술에 필요한 해부학으로 총 3종이 기본 교과서라 생각됩니다. 이제 우리 대한척추신경외과학회가 이 세가지 교과서를 출판하게 되어, 교육에 완벽한 교과서를 갖춘 학회가 되었다고 생각됩니다.

제가 2007년 가을부터 우리 학회의 교과서편찬위원장을 맡은 지 10년이 되었습니다. 그 동안 학회 회원들의 성원에 힘입어서 또다시 하나의 소중한 결과물을 만들어내었습니다.

이 결과물을 훌륭하게 만들 수 있게 해주신 정천기 회장님과 학회 이사들, 무엇보다 노고를 아끼지 않은 저자들과 끝까지 내용 점검, 교정에 힘을 아끼지 않은 임수빈, 박형기 교수에게 감사를 드립니다. 또한 군자출판사 장주연 대표님과 그 직원들에게 무한한 감사를 드립니다.

2016년 9월 5일

대한척추신경외과학회 교과서편찬위원장 **장호열**

○ 목 차

척수의 발생과 기형

척수의 발생과 기형

○ 정용태, 팽성화

1절 신경계통의 기원

중추신경계통(central nervous system; CNS)의 발생은 발생 3주 초에 원시와(primitive pit)보다 앞에 위치한 외배엽이 슬리퍼 모양으로 두꺼워진 구조물인 신경판(neural plate)으로부터 시작된다. 척삭돌기(notochodal process)와 축옆중배엽은 외배엽에서 신경판이 분화되도록 유도한다. 신경판의 외측 모서리는 곧 융기되어 신경주름(neural fold)을 형성한다[그림 1-1]. 일련의 세포는 이동하여 신경능선(neural crest)을 형성하고 이 세포는 척수신경절, 자율신경절, 부신속질 등을 형성한다[그림 1-2]. 발생이 진행됨에 따라 좌우 신경주름은 계속 융기되어 정중선에서 서로 접근하고, 결국 융합되어 신경관(neural tube)을 형성한다. 신경관 형성(neurulation)은 제 4주 초(22-23일)에 제4-6체절 사이에서 시작된다. 이 시기에 신경관의 앞쪽 2/3부분은 장차 뇌가 되고, 뒤쪽 1/3부분은 척수로 분화하게 된다. 신경관의 가운데 부분이 먼저 닫히고, 각 끝의 구멍이 나중에 닫힌다. 신경관

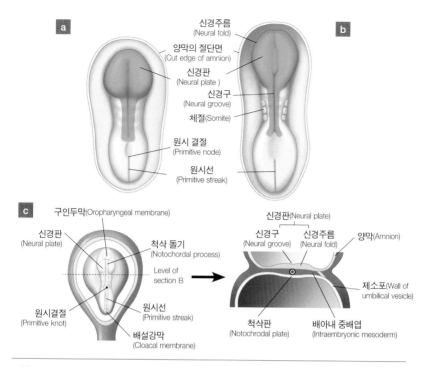

그림 1-1. **a.** 발생 18일된 배아의 등쪽에서 본 모습(양막제거) **b.** 발생 20일 된 배아의 등쪽에서 본 모습 **c.** 18일 된 배아의 가로 단면 모습

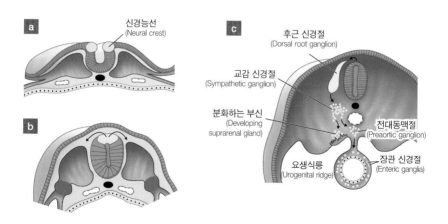

그림 1-2. 발생 단계별 배아의 가로 단면 그림으로 신경 능선의 형성과정을 보여주며 신경 능선은 척수 신경절로 분화 한다(a→b→c).

(neural tube)의 내부인 신경(수)관(neural canal)은 양막공간(amniotic cavity)과 자유롭게 통하며, 융합이 끝나기 전에는 배아의 두측(cranial)과 미측(caudal)의 열린 두 끝부분이 두측신경공(cranial neuropore)과 미측신경공(caudal neuropore)을 이룬다[그림 1-4]. 전뇌 부분에서는 융합이 두측으로 진행되어 신경관의 가장 두측 부분이 닫히게 되며, 동시에 미측으로도 진행되어 목 부위에서부터 진행되어 올라오는 융합부위와 만나게 된다. 두측신경공은 발생 25일에 최종적으로 닫히고 미측신경공은 발생 27일에 닫힌다[그림 1-3]. 신경공이 닫힐 때쯤 혈액 공급이 이루어진다. 신경관의 벽은 두터워지면서 뇌와 척수를 이루고 신경관 내부는 뇌의 뇌실과 척수의 중심관(central canal)을 형성한다. 척수의 속공간인 중심관은 뇌소포(brain vesicle)의 속공간과 연결되어 있다.

Ⅰ 척수의 발생

신경관에서 제4체절보다 아래쪽 부분이 척수로 발생된다. 신경관의 외측벽이 점차 두터워짐에 따라 신경관의 내부는 좁아지고 발생 9주~10주 경에 척수의 중심관으로 된다[그림 1-5].

1. 신경상피층, 외투층, 변연층(Neuroepithelial, Mantle, and Marginal layers)

막 닫힌 신경관의 벽은 신경상피세포(neuroepithelial cell)들로 구성되어 있다. 이 세포들은 신경관 벽의 전체에 퍼져서 두꺼운 위중층상피(pseudostratified epithelium)를 이룬다. 신경상피세포들은 상의층(ependymal layer)을 형성하면서 척수에 있는 모든 신경세포와 대교세포(macroglial cell)들을 만든다. 신경상피세포는 내강쪽(lumen)에서 연접복합체(junctional complex)에 의하여 서로 연결되어 있다. 신경구(neural groove)가 형성되는 동안과 신경관이 닫힌 직후에 이 세포들은 빠르게 분열하여 점점 더 많은 신경상피세포를 생산한다. 이 세포의 집단을 신경상피층(neuroep-

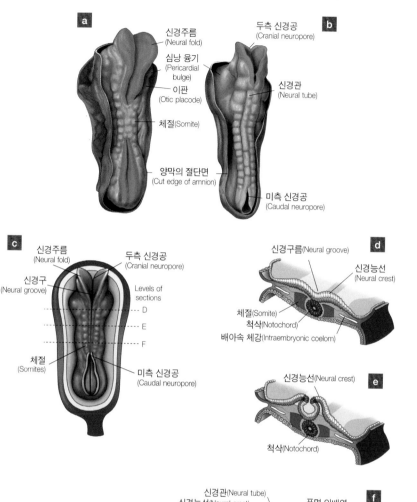

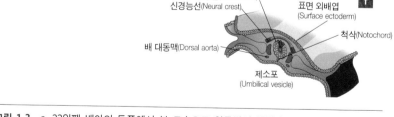

그림 1-3. a. 22일째 배아의 등쪽에서 본 모습으로 일곱쌍의 체절이 보이며, 제4-6체절에서 신경주름이 융합되어 신경관이 되어 있으며 양쪽 끝부분은 열린상태임. **b.** 23일째 배아의 등쪽에서 본 모습. **c d e f.** c의 가로 절단면으로 신경관이 형성된후 표면 외배엽으로 분리되는 과정을 나타냄.

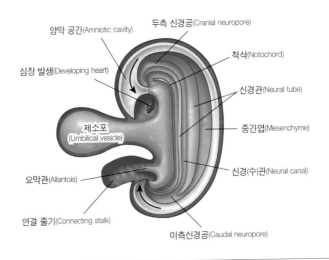

양막 공간(Amniotic cavity)
두측 신경공(Cranial neuropore)
척삭(Notochord)
심장 발생(Developing heart)
신경관(Neural tube)
제소포(Umbilical vesicle)
중간엽(Mesenchyme)
요막관(Allantois)
신경(수)관(Neural canal)
연결 줄기(Connecting stalk)
미측신경공(Caudal neuropore)

그림 1-4. 23일 배아의 시상 단면에서 신경(수)관이 양막공간과 일시적으로 교통함(화살표).

ithelial layer) 또는 신경상피(neuroepithelium)라고 부른다[그림 1-5].

일단 신경관이 닫히면 신경상피세포는 또 다른 종류의 세포를 생산하기 시작하는데, 이를 원시신경세포(primitive nerve cell) 또는 신경모세포(neuroblast)라고 부른다. 또 다른 세포는 변연층(marginal layer)을 형성하여 장차 척수의 회색질(gray matter of spinal cord)을 형성한다. 이와 같이 척수의 가장 바깥층은 외투층의 신경모세포로부터 시작된 신경섬유와 교세포로 이루어져 있으며, 변연층이라고 불린다. 변연층의 신경섬유에 수초(myelin sheath)가 형성됨에 따라 이 층은 흰빛을 띠게 되어 척수의 백색질(white matter of spinal cord)을 형성한다[그림 1-5]. 신경상피세포들은 신경모세포와 교모세포의 형성을 마치고 나서 상의세포(ependymal cell)로 분화하여, 이들이 척수의 중심관을 덮는 상의막(ependymal)을 이룬다[그림 1-6].

2. 기저판, 익판, 지붕판, 마루판(Basal, Alar, Roof, and Floor Plates)

새로운 신경모세포가 계속 외투층에 첨가됨에 따라 신경관의 좌우 양 옆에서 복측(ventral) 및 배측(dorsal)의 두꺼운 세포층들이 형성된다. 익판

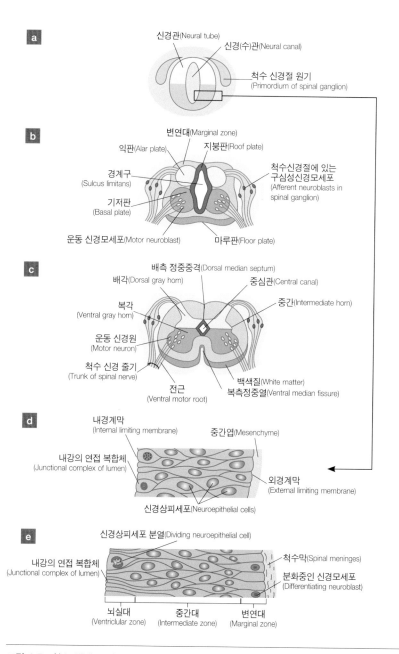

그림 1-5. 척수 발생 모식도 **a.** 23일 배아의 신경관의 가로 절단면 **b.** 6주 가로 절단면 **c.** 9주 가로 절단면 **d. e.** 신경관 벽의 절단면 과 발생진행중인 신경관 벽의 단면

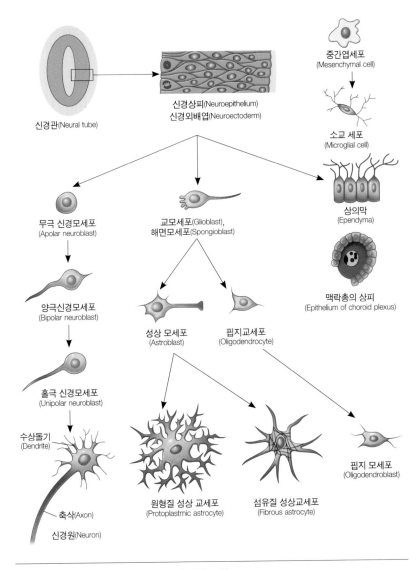

신경관(Neural tube)

신경상피(Neuroepithelium)
신경외배엽(Neuroectoderm)

중간엽세포
(Mesenchymal cell)

소교 세포
(Microglial cell)

상의막
(Ependyma)

맥락총의 상피
(Epithelium of choroid plexus)

무극 신경모세포
(Apolar neuroblast)

교모세포(Glioblast),
해면모세포(Spongioblast)

양극신경모세포
(Bipolar neuroblast)

성상 모세포
(Astroblast)

핍지교세포
(Oligodendrocyte)

홀극 신경모세포
(Unipolar neuroblast)

수상돌기
(Dendrite)

핍지 모세포
(Oligodendroblast)

원형질 성상 교세포
(Protoplastmic astrocyte)

섬유질 성상교세포
(Fibrous astrocyte)

축삭(Axon)

신경원(Neuron)

그림 1-6. 중추 신경계통의 세포 성분의 발생 모식도

(alar plate)과 기저판(basal plate)은 후에 구심신경(afferent) 기능과 원심
신경(efferent) 기능에 관계된다. 척수에서는 이러한 배열이 그대로 유지되지
만, 뇌에서는 더욱 복잡한 형태로 변화한다. 중심관벽의 세로 방향으로 얕은

고랑이 길게 생기는데 이를 경계구(sulcus limitans)라고 하고 익판(alar plate)과 기저판(basal plate) 사이의 경계가 된다. 복측의 기저판(basal plate)에는 운동신경세포(motor horn cell)가 들어있어서 척수의 운동영역을 이루고, 기저판의 세포들은 복측 회백주(ventral gray column)와 외측 회백주(lateral gray column)을 형성한다. 척수의 가로 절단면에서는 이들 회백주들이 복각(ventral gray horn)과 측각(lateral gray horn)으로 불린다. 복각의 회색질에 있는 신경세포의 축삭들은 다발을 이루어 척수신경(spinal nerve)의 전근(ventral root)이 된다. 기저판이 커지면서 정중 절단면 양쪽으로 튀어나오며, 이때 척수 전방에는 복측정중중격(ventral median septum)과 세로로 깊게 들어간 복측정중열(ventral median fissure)이 형성된다.

배측의 익판은 척수의 감각영역을 이루고 있으며, 익판에 있는 세포체들은 모여서 구심신경핵(afferent neuclei)을 이루며, 이들이 모여 배측 회백주(dorsal gray column)가 된다. 익판이 커지면 배측정중중격(dorsal median septum)이 생긴다. 신경관의 배측과 복측의 정중선 부분을 각각 지붕판(roof plate)과 마루판(floor plate)이라고 하는데, 이 부분은 신경모세포를 함유하지 않으며 주로 좌우를 가로지르는 신경섬유의 통로로 이용된다. 복각과 배각 외에 또 다른 신경세포 무리가 두 지역 사이에서 작은 중간각(intermediate horn)을 형성한다. 중간각은 자율신경계통의 교감신경부분을 포함하고 있으며, 척수의 흉추분절과 요추분절의 윗부분에만 존재한다 (T1~L3)[그림 1-5, 1-7].

3. 척수신경(Spinal Nerves)

운동신경섬유는 발생 4주에 척수의 기저판(복각)에 위치한 신경세포에서 출현하기 시작한다. 이 신경섬유는 전근(ventral nerve root)이라는 신경다발을 형성한다. 후근(dorsal nerve root)은 척수신경절 신경세포로부터 시작되는 신경섬유의 집단이다. 이 신경절 신경세포의 중추돌기는 신경다발을

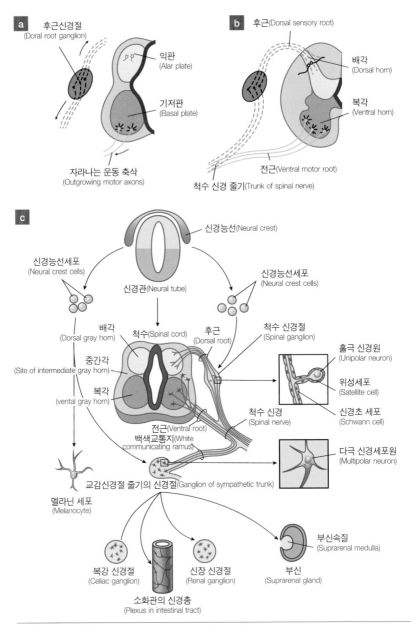

그림 1-7. a. 기저판의 신경세포로 부터 운동신경 섬유가 자라고 척수 신경절로 부터 양방향으로 신경섬유가 자라 나오며, **b.** 전근과 후근이 만나서 척수 신경 줄기를 형성한다. **c.** 신경능선에서 발생한 구조물들의 모식도.

이루어 척수의 후각으로 들어간다. 말초돌기는 전근과 합쳐져서 척수신경을 형성한다[그림 1-7]. 척수신경은 곧 일차 배지(dorsal primary rami)와 일차 전지(ventral primary rami)로 나뉜다. 배지는 등의 축근육(axial musculature), 척추관절, 등의 피부에 분포한다. 전지는 팔다리와 몸통의 앞벽에 분포하며 상완 신경총(brachial plexus), 요천추신경총(lumbosacral plexus) 등의 주요 신경총을 형성한다.

4. 척수신경절의 발생

척수신경절(dorsal root ganglia)의 단극 신경원(unipolar neuron)은 신경능선세포(neural crest cells)에서 발생되는데, 척수신경절 세포의 축삭은 처음에는 양극(bipolar)이었으나, 곧 두개의 돌기가 합쳐져서 'T'자 모양으로 변한다. 척수신경절 세포의 양쪽 돌기는 형태학적으로는 모두 축삭의 특징은 보이지만, 말초쪽의 돌기는 수상돌기(dendrite)이며, 세포체 쪽으로 전도가 일어난다. 말초돌기는 척수신경을 통해서 몸통기관이나 내장기관에 있는 감각종말에 이른다. 중추돌기는 척수 안으로 들어가면서 척수신경의 후근을 이룬다[그림 1-6, 1-7, 1-9].

5. 척수막의 발생

신경관 주위에 있는 중간엽성분(mesenchyme)이 빽빽히 모여서 막으로 변하여 원시척수막(primordial meninx)을 이룬다. 원시척수막의 바깥층(external layer)은 척수경막(dura mater)이 되고, 내층(internal layer)은 신경능선세포(neural crest cell)로부터 나와 척수연막-척수지주막(pia-arachnoid)이 된다. 연막과 지주막을 합하여 연수막(leptomeninges)이라 부른다. 연수막 안에는 액체 공간들이 생겼다가 서로 합쳐져서 지주막하공간(subarachnoid space)을 만든다[그림 1-8]. 배아의 뇌척수액(cerebrospinal fluid)은 5주에 생성되기 시작한다.

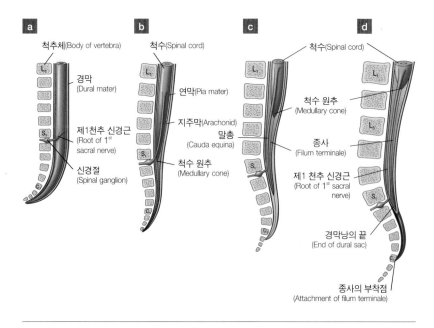

그림 1-8. 발생 단계별로 본 척추와 척수막의 높이의 위치가 변화하는 과정
a. 8주 **b.** 24주 **c.** 신생아 **d.** 성인

6. 척수의 위치 변화

배아의 척수는 척주관 전체에 걸쳐 뻗어 있고, 척수신경들은 나오는 부위에 따라 추간공(intervertebral foramina)으로 빠져나간다. 그러나 척추와 척수경막이 척수보다 빠르게 자라기 때문에 상대적으로 척수의 아랫쪽 끝이 점차 높아져서 6개월에는 제1천추 높이에 이른다. 신생아 때는 척수의 끝이 제2요추나 제3요추 높이에 이르고, 성인이 되면 제1요추 아랫부분(inferior border)에 이른다. 성인에서 척수의 평균 높이는 제1요추이지만 다양하게 나타날 수 있다. 따라서 척수의 신경근은 각 척수 높이에서 각각의 척추 높이까지 가면서 아래로 갈수록 기울기가 뚜렷하며, 특히 요추와 천추부분에서 그 기울기가 심하다. 척수의 마지막 끝인 척수원추(conus medullaris)의 아래쪽에서는 척수신경다발은 마치 말의 꼬리털 모양처럼 보여 말총(cauda equina)이라 한다. 성인에서 척수경막과 지주막은 제2천추 높이에 이르나

연막은 거기까지 이르지 못한다. 척수 맨 끝의 아래에서 척수연막은 기다란 섬유끈이며, 배아 척수에서 퇴화된 부분의 흔적이다. 이것을 종사(filum terminale)라 부른다. 종사는 척수원추에서 시작하여 제1미골의 골막 (periosteum)에 단단히 붙는다[그림 1-8].

7. 신경의 수초(Myelination) 형성

중추인 척수에서 신경섬유의 주위를 둘러싸는 수초는 말초신경과는 달리 핍지교세포(oligodendrocyte)의 세포막으로 축삭 주위를 여러겹으로 둘러싸서 신경섬유의 수초 형성을 하는데, 핍지교세포의 형질막이 축삭을 감아 돌아서 여러 개의 수초층을 만든다. 말초신경에서는 신경초세포(neurolemma cell, schwann cell)의 형질막이 신경축삭을 여러겹 둘러싸서 수초를 형성한다. 이 세포는 신경능선에서 유래하며 말초로 이동하여 축삭의 주위를 감싸서 신경초(neurilemma sheath)를 형성한다[그림 1-9]. 신경초 세포는 신경능선세포에서 시작하여 말초 쪽으로 옮겨가면서, 중추신경계에서 빠져 나올 때부터 체성운동신경원(somatic motor neuron)의 축삭이나 연접 전 자율 운동 신경세포원(presynaptic autonomic motor neuron)의 축삭을 감아싸서 수초를 형성한다. 또 신경초 세포들은 체성감각신경원과 내장감각신경원(somatic and visceral sensory neuron)의 중심돌기와 말초돌기를 둘러쌀 뿐 아니라, 연접후 자율운동신경세포원(postsynaptic autonomic motor neuron)의 축삭도 감싼다. 척수에서의 수초의 형성은 발생 4개월경에 시작하지만 고위 중추신경계통으로부터 척수로 내려오는 운동신경섬유 중 일부분은 생후 1년이 지나서야 비로소 수초형성이 완성된다. 신경초세포의 세포막이 축삭의 주위를 반복적으로 감고 돌아서 형성되는 수초가 증가하면서 많은 신경섬유가 흰빛을 띠게 된다. 신경로(tract)가 제 기능을 시작할 무렵에 신경로의 수초형성이 완성된다.

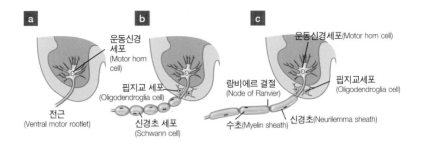

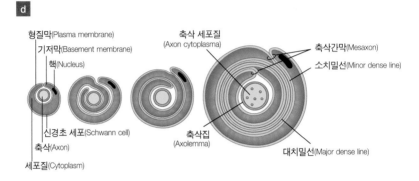

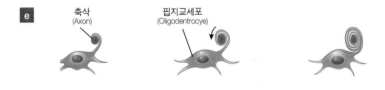

그림 1-9. 수초 형성과정. 척수속의 수초는 핍지교세포가, 척수 밖의 수초는 신경초 세포가 형성한다(a, b, c). 말초 신경(d)과 중추신경(e)의 수초 형성 과정의 모식도.

Ⅱ 척수의 선천성 기형

일차 또는 이차 신경관 형성의 과정에 발생하는 선천성 기형을 표현하는 용어들에는 신경관 결손(neural tube defect), 이분척추(spina bifida), 척추유합부전(spinal dysraphism), 정중선유합부전등이 있다. 피부의 결손 유무에 따라 낭성(개방성), 잠재성(폐쇄성)으로 분류한다[표 1–1].

표 1-1. 신경계의 유합부전 기형 분류(척추중심으로)

개방성 유합부전(open dysraphism)

척수수막류(myelomeningocele)

반측 척수수막류(hemimyelomeningocele)

경추부척수수막류(cervical myelomeningocele)

전후방이분척추증(anterior and posterior combined spina bifida)

폐쇄성 유합부전(closed dysraphism)

척추부지방종(spinal lipoma)

지방척수수막류(lipomyelomeningocele)

선천성 피부동(congenital dermal sinus)

유피낭종(dermoid cyst)

유표피낭종(epidermoid cyst)

척수낭류(myelocystocele)

이분척수(diastermatomyelia, split cord malformation)

신경장낭(neurenteric cyst)

종사비후(thick filum terminale)

미부 형성 부전 증후군(caudal agenesis syndrome)

수막류(meningocele)

1. 신경관 결손(Neural Tube Defect)

대부분의 척수 기형은 발생 3~4주에 신경주름이 닫히는 데 이상이 있기 때문에 일어난다. 이 기형을 통틀어 신경관 결손(neural tube defect; NTD)이라고 하며, 이 같은 신경관 결손에는 척수를 싸고있는 척수막, 척추궁, 근육, 피부의 결손도 포함될 수 있다[그림 1-10]. 실험동물의 발생연구로 미루어 볼 때, 사람의 신경관 형성에는 대개 다섯 부분정도의 닫힘부분(closure site)이 있다는 가설이 이루어졌다. 제1부분이 닫히지 못하면 낭성이분척추(spina bifida cystica), 제2부분이 닫히지 못하면 무뇌증(anencephaly), 제2 및 제 4부분이 닫히지 못하면 두개척추파열(cranio-rachischi-

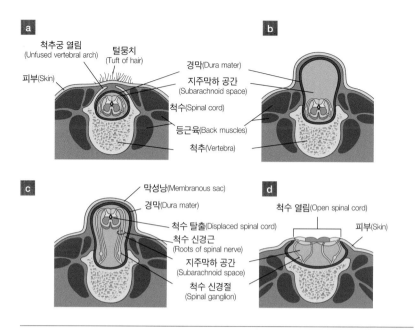

그림 1-10. 척수에 나타나는 여러종류의 신경과 결손의 모식도(**a.** 잠재성 이분척추 **b.** 수막류 **c.** 척수 수막류. **d.** 척수 분열 이분척추(Rachischisis))

sis)이 생기며, 제3부분이 닫히지 않는 경우는 매우 드물다. 맨 끝 부분은 제5부분으로서 제2요추와 제2천추에 이르며, 제2천추 아랫부분은 이차신경배 형성 때 닫힌다. 신경조직과 비신경조직을 침범하는 심한 신경관결손이 일어날 확률은 약 1,000명 출생 당 1명이지만, 중국 북부 등의 일부지역에서는 무려 100명당 1명에 이르는 등 인구집단에 따라 다양하다. 최근에는 발생률이 감소 되고 있는데 영양의 개선 등으로 발생자체도 줄어들었지만, 산전 조기 진단 및 유전학전 진단의 발달등으로 영향을 끼치는 것으로 보인다.

1) 신경관 결손의 원인

신경관 결손의 원인으로는 영양과 환경 요인이 가장 크다고 보이며, 고체온(hyperthermia), 항경련제(valproic acid or carbamazepine), 비타민 A

과잉증(hypervitaminosis A) 등의 여러 기형유발인자(teratogen)에 의하여 신경관 결손이 유발된다. 대부분은 다인자성(multifactorial)이며, 자녀에 신경관결손이 있으면 다음 출생하는 자녀에게 신경관결손이 있을 가능성이 높아진다. 임신 전에 비타민과 엽산(folic acid)을 복용시키면 신경관결손의 발생빈도가 낮아 진다고 하며 연구에 따르면 임신하기 24개월 전부터 분만 때까지 매일 400ug의 엽산을 복용하면 최대 70%까지 신경관 결손의 빈도를 감소시킨다고 한다. 임신 초기 신경주름 융합이 일어나는 시기(발생 제4주)에 이 같은 항경련제를 사용한 산모 가운데 1-2%에서는 신경관결손 태아를 분만하기도 한다[그림 1-11]. 이분척추는 척추후궁(vertebral arch)이 둘로 갈라지는 기형으로서 그 속의 신경조직에 이상이 있을 수도 있고 없을 수도 있다. 이분척추에는 두 종류가 있다[그림 1-10, 1-11].

(1) 잠재성 이분척추(spina bifida occulta)은 배아가 발생할 때 척추후궁이 양쪽에서 두 갈래로 자라나서 정중선에서 만나 한 개의 척추후궁을 완성시키는데, 이들이 정중선에서 만나지 못해 나타난 현상이다. 척추후궁에 결손이 일어나지만 피부에 덮여서 겉으로 드러나지 않으며, 대개 그 속의 신경조직은 정상인 기형을 말한다. 발생학적인 기전은 척삭 형성과정에서의 오류, 원시 신경장관과 부수 원시 신경장관(primitive and accessory primitive neuroenteric canal) 과 관련하여 특정 조직이 비정상적인 위치에 남는 현상으로, 일차 신경관 형성 과정에서 피부외배엽과 신경외배엽의 조기 분리 또는 분리 실패, 이차 신경관 형성 과정에서의 오류로 설명된다. 주로 제5요추나 제1천추에 생기며, 정상인의 경우에 대개 10% 정도는 생기며, 결손증이 심하지 않으면 배측 해당부위에 피부가 약간 들어가고 부위에 털이 나있다. 지방척수수막류(lipomyelomeningocele)가 대표적이다. 잠재성 이분척추는 대부분 낭성이분척추보다 임상적인 문제를 일으키지 않지만 어떤 환자는 척수나 척수신경근에 기능적으로 심한 결손을 보인다. 잠재성 이분척추은 대부분 증상이 진행된 후 수술적인 치료를 시행하면 증상의 호전을

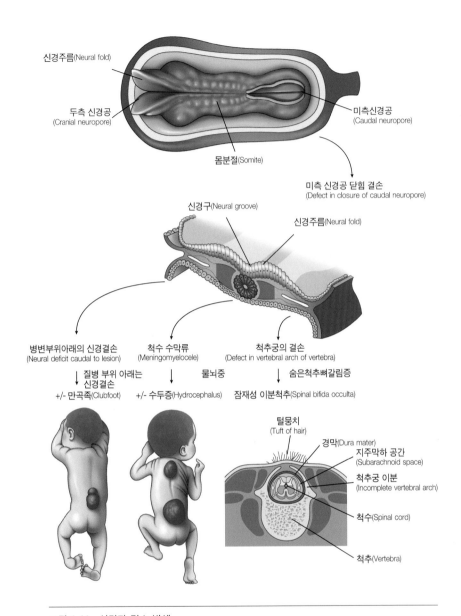

신경주름(Neural fold)

두측 신경공
(Cranial neuropore)

미측신경공
(Caudal neuropore)

몸분절(Somite)

미측 신경공 닫힘 결손
(Defect in closure of caudal neuropore)

신경구(Neural groove)

신경주름(Neural fold)

병변부위아래의 신경결손
(Neural deficit caudal to lesion)

척수 수막류
(Meningomyelocele)

척추궁의 결손
(Defect in vertebral arch of vertebra)

↓ 질병 부위 아래는
신경결손
+/- 만곡족(Clubfoot)

물뇌중

↓ 수두증(Hydrocephalus)

↓ 숨은척추뼈갈림증

잠재성 이분척추(Spinal bifida occulta)

털뭉치
(Tuft of hair)

경막(Dura mater)

지주막하 공간
(Subarachnoid space)

척추궁 이분
(Incomplete vertebral arch)

척수(Spinal cord)

척추(Vertebra)

그림 1-11. 신경관 결손 발생

기대하기 어렵고, 진단 즉시 조기에 수술적 치료를 하는 것이 원칙이다. 18개월전에 수술하면 비뇨기계 증상은 호전을 보이며, 수술 후에 다시 재결박(retethering)이 나타날 수 있다.

(2) 낭성이분척주(spina bifida cystica)은 척추 후궁과 피부의 결손을 통해 신경조직 또는 척수막이 돌출되어 물혹 모양의 주머니를 형성하는 심한 신경관 결손이다. 대부분이 요천추부위에 위치하며 신경기능 장애가 초래되지만, 1,000명당 1명꼴로 생기며, 피부주머니 속에 척수막과 뇌척수액이 들어 있으면 척추 수막류(spina bifida with meningocele)라 하며, 이때 척수와 척수신경 뿌리의 위치는 제자리에 있으나 척수의 형태는 기형을 보일 수도 있다. 척수나 신경뿌리 까지도 피부주머니속에 들어 있으면 척수 수막류(spina bifida with meningomyelocele)라 한다. 이분척추 가운데서도 심한 경우는 여러 척추뼈에 걸쳐서 발생하는 척수 수막류 이분척추으로서, 이때는 부분무뇌증(meroanencephaly)이나 무뇌증(anencephaly)을 함께 보이기도 한다. 이분척추 중에 가장 심한 경우는 척수분열 이분척추(spina bifida with myeloschisis)로서 신경주름이 융합되지 못하여 척수가 갈라진 채 있게 되고, 따라서 척수는 둥근 모양이 아니고 납작한 신경조직 덩어리로 남는다. 낭성이분척추는 신경판의 일부가 지나치게 성장해서 신경관결손이 생긴 탓인데, 결과적으로 발생 4주 말에 미측 신경공이 닫히지 못하게 된다. 척수의 손상부위에 따라 해당되는 신경영역에 따라 근육이 마비되면서 피부감각 영역띠를 따라 감각소실을 보인다. 낭성이분척추는 척수 수막류가 가장 대표적이다. 거의 전부에서 키아리 기형(2형)과 수두증이 발생하는데, 키아리 기형은 다행히 증상이 없는 경우가 많고 증상이 있는 경우도 경미하거나 증상이 저절로 호전되는 경우가 많다. 수두증의 발생은 척수가 척주에 유착되어 있어, 척주가 길어짐에 따라 유착으로 인하여 소뇌가 뇌대공(foramen magnum)으로 당겨지면서 뇌척수액의 흐름을 차단하기 때문에 발생한다. 수두증 때문에 시행하게 되는 뇌척수액 단락술 이후에는 호전되는

경우가 대부분이다. 낭성이분척추는 초음파 검사와 산모의 혈청 및 양수의 알파태아단백(α-fetoprotein)을 측정함으로써 출산 전에 진단할 수 있다. 태아의 척추는 임신10-12주에 초음파 검사를 통해 관찰이 가능하며 척추후궁이 닫히는 과정에서 장애 여부도 확인할 수 있다. 이 기형에 대해 새로운 치료법 중에는 임신 28주경에 자궁내 수술을 시행하는 것이다. 산전에 척수수막류가 확인이 되고 출산을 하게 되는 경우, 심장이나 비뇨기 계통등 동반기형의 유무를 확인하고 병소 부위는 눌리거나 오염되지 않도록하며 마르지 않게 보호하며, 환아는 복와위 또는 측와위를 하도록 한다. 수술적인 치료는 가능한한 72 시간이내 하는 것이 좋다. 이후에는 감염의 위험성이 증가하므로 뇌실외 배액술을 하고난후 무균상태확인후 수술을 하는 것이 좋다. 수술의 목적은 척수의 결박을 풀고 척수강을 비롯한 해부학적 구조를 복원하여 신경조직을 보호하고 감염을 막는것이다. 동반되는 수두증과 키아리 기형의 수술적인 치료도 필요하다. 보행은 운동신경기능의 보존 정도에 따르며 정상적인 배뇨가 가능한 경우는 아주 드물지만 대부분의 경우에는 됴뇨등의 방법으로 해결될수 있다.

① 척수수막류(myelomeningocele)
전형적인 척수수막류는 피부결손을 동반하며, 척주를 따라 어느 부위에나 생길 수 있지만 요추나 천추부위에 가장 흔하게 생긴다. 결손부위를 통하여 척수 조직이 노출되어 있고 지주막이 병소의 일부 또는 전체를 덮고 있으며, 병소 부위가 두툼하게 융기되어 낭성 병소를 이룬다[그림 1-10]. 또한 뇌척수액이 누출되는 경우도 있다. 심한 경우에는 탈출 부분보다 아래쪽 척수의 기능에 신경학적으로 커다란 결손을 보일 때가 많다. 결손이 나타나는 이유는 신경조직이 주머니의 벽에 달라 붙어서 신경섬유의 발생을 방해하기 때문이다. 척수수막류가 수막류보다 발현 빈도가 높고 더욱 심한 기형을 보인다. 대부분이 키아리 기형과 수두증을 동반한다. 요천추 부분의 척수수막류의 경우에는 흔히 괄약근마비(sphincter paralysis)가 생기며, 안장마비(saddle

anesthesia) 현상을 보이기도 한다.

② 요천추부 지방종, 지방 척수수막류(lipomyelomeningocele)

피하 지방이 척수와 연결성을 갖는 질환이다. 이 지방조직은 종양성 조직이 아니다. 척수결박과 종괴효과, 척수압박으로 인한 증상이 초래될 수 있으며, 개방성의 경우보다 신경증상이 경미하다. 요천추부의 피부에 종괴함몰, 혈관종 등의 병소를 동반하는데 외부의 이상이 뚜렷하지 않아 진단이 늦어지는 경우도 있다. 환자의 키가 크면서, 배뇨 및 배변이상, 발 변형과 위약 등으로 나타나고 성인에서는 동통으로 나타난다. 치료는 일단 증상이 진행되면 수술적인 치료가 호전을 기대할 수 없으므로, 예방적 수술에 대한 논란이 있지만 증상 이전 수술을 시행하여 척수 결박을 해소하고 척추관내 지방조직을 제거하여 종괴효과를 줄여 신경학적 결손의 진행을 예방하는 것이다.

③ 선천성 피부동(congenital dermal sinus)

배측천추 부위의 정중선 피부에 생기는 함요는 선천적인 피부동인 경우가 있다. 이 함요는 발생 4주 말에 두측 신경공이 닫히는 부분으로서, 신경관과 표면외배엽이 마지막으로 서로 분리되는 부분에 해당된다. 피부 표면으로부터 피부조직이 함몰되어 다양한 깊이로 연결되어 경막외에서 끝나는 경우도 있으나 경막내로 연결되어 어떤 경우에는 함몰이 척수 경막과 섬유끈으로 연결되어 있기도 하다. 연결된 피부동을 통해서 뇌척수액이 유출되기도 하고, 역으로 세균이 침입하여 뇌수막염이나 농양을 유발할 수 있다. 신경계 내로 들어온 피부에서 분비된 땀이나 탈락된 각질이 배출되지 않으면 유피낭종(dermoid cyst)을 형성하며, 때로는 화학적 수막염을 유발할 수있다. 감별을 요하는 경우로는 천미부 함몰(sacrococcygeal dimple)이 있다. 대게 제3천추부위 이하에 위치하며 항문쪽으로 향하며, 특별한 치료를 필요로 하지는 않는다. 감별이 어려울 때는 자기 공명 영상 등의 검사를 시행할 수 있다.

④ 종사 비후(Thickened filum terminale)

종사가 짧고 굵으며(직경 2mm 이상) 척수 원추의 위치가 낮은(제3요추체 중간 부위 이하) 질환이다. 좁은 의미의 척수결박증후군에 해당된다. 종사 비후의 신경증상은 척수 견인에 의하여 발현되며 수술로 증상의 호전을 기대할 수 있어 경과도 양호하다.

참고문헌

1. 고재승외 17명: 인체 발생학, 개정 6판, 서울: 범문사, 2004
2. 대한척추신경외과학회: 척추학, 군자출판사, 2008
3. 대한 신경외과 학회: 신경외과학 개정 3판: 중앙문화사, 2005
4. 대한 신경외과 학회: 신경외과학 개정 4판: 중앙문화사, 2012
5. 박경한 외 공역: 스넬 임상 신경 해부학 제6판, 서울: 신흥 메드싸이언스, 2007
6. 이원택 박경아 공저: 의학 신경 해부학, 제2판, 서울: 고려의학
7. 황영일 외6명: 사람 발생학, 10판, 서울: E-PUBLIC, 2007
8 허영범외 공역: 신경해부학(clinical neuroanatomy), 27판, 서울: 범문에듀케이션, 2014
9. Carpenter MB : Core text of Neuroanatomy, ed 4th. Maryland : Williams & Willkins, 1991
10. Kiernan JA, 박경한외 공역: 인체 신경해부학 Barr`s the human nervous system an anantomical viewpoint, ed 8th, 서울: E-PUBLIC: 2006
11. Moore KL, Persaud TVN, Torchia MG: Before we are born: essenential of embryology and birth defects, ed 8th, Philadelphia: Elsevier saunders, 2013
12. Sadler TW: Langman`s Medical embryology, ed 12th,Philadelphia : Lippincott Williams & Wilkins, 2000
13. Ulich D: Color of atlas of embryology. Stuttgart, New York : Thieme, 1995
14. Wienn HR: Youmans Neurological Surgery, ed 5th, Philadelphia: Saunders, 2004

척수의 외형과 인접구조물

척수의 외형과 인접구조물

○ 문봉주, 이정길

 1절 육안해부학과 인접골과의 관계

척수는 태생기 신경관(neural tube)에서 가장 적게 변형되고, 또한 가장 미측에 위치한 부위이다. 척수는 분절되지 않은 구조물이지만, 쌍으로 된 척수신경(spinal nerve)들이 국소지역에 분포되므로 외형상 분절을 형성한다.

척수는 다른 중추신경계통과 같이 신경관이 분화된 것이다. 척수는 척추관(spinal canal)내에 위치하는 긴 원기둥 형태의 구조로 그 끝은 뾰족하여 원뿔 모양을 이루고 있어 척수원추(conus medullaris)라고 한다[그림 2-1]. 중심관(central canal)은 상의세포(ependymal cell)에 의하여 둘러싸여 있고 그 중심부위는 잔여내강(vestigial lumen)으로 남아있다.

척수는 대공(foramen magnum)에서 시작하여 제1 요추의 아래가장자리나 제1요추와 제2요추 사이의 추간판까지 연장되어 있다. 이후 연질막(pia mater)이 모여서 척수원추 아래쪽으로 계속되어 종사(filum terminale)를 형성하고 이것은 제2천추의 위치에서 경막관(dural tube)을 뚫고 나온 후

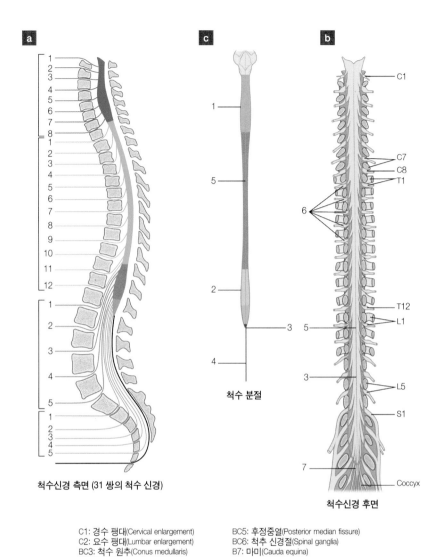

a

1
2
3
4
5
6
7
8
1
2
3
4
5
6
7
8
9
10
11
12
1
2
3
4
5
1
2
3
4
5

척수신경 측면 (31 쌍의 척수 신경)

c

1

5

2

3

4

척수 분절

b

C1

C7
C8
T1

6

T12
L1

5

3

L5

S1

7

Coccyx

척수신경 후면

C1: 경수 팽대(Cervical enlargement)
C2: 요수 팽대(Lumbar enlargement)
BC3: 척수 원추(Conus medullaris)
C4: 종사(Filum terminale)

BC5: 후정중열(Posterior median fissure)
BC6: 척추 신경절(Spinal ganglia)
B7: 마미(Cauda equina)

그림 2-1. 척수와 척수신경, 척추골과의 관계

경질막에 싸여서 미골인대(coccygeal ligament)가 되어 미골의 뒷면까지 계속된다[그림 2-1-a].

척수는 두 개의 팽대(enlargement), 즉 경수(cervical) 및 요수(lumbar) 팽대를 가지고 있고 흉수부위가 가장 가늘다[그림 2-1-c]. 척주관의 모양과 연관성이 있으며, 경추와 요추부의 척주관은 넓고 삼각 구조이고 흉추 척주관은 둥글고 경추와 요추에 비해 좁다. 따라서, 척수의 반경도 흉수 중간부분에 있어서 반경이 8mm 정도이나, 척수의 가장 두꺼운 부분인 경수 팽대(cervical enlargement)에서는 반경이 9mm 정도이고 요추팽대(lumbar enlargement)에서는 반경이 8.5mm 정도이다. 척수의 길이는 성인 남자에 있어 평균이 약 45cm 이며, 여자의 경우에는 42-43cm 정도이다. 척수의 무게는 30gm 정도로 전체 중추신경계의 약 2%를 차지하고 있다. 척수는 중추신경계의 2% 정도 밖에 차지하지 못하고 있지만 그 기능은 매우 중요하다. 그 이유는 (1) 신체의 대부분으로부터의 감각신호를 전달하는 구심성 신경로(afferent neural pathway), (2) 수의운동기능(voluntary motor function)을 중개하고 근긴장(muscle tone)을 조절하는 원심성 신경로(efferent neural pathway), 그리고 (3) 분절반사(segmental reflex)를 매개하거나 자율신경지배를 제공하는 신경섬유계통과 신경세포를 함유하고 있기 때문이다.

척수신경은 모두 31쌍이며 경수에서 8쌍, 흉수에서 12쌍, 요수에서 5쌍, 천수에서5쌍, 미수에서 1쌍이 나온다. 31쌍의 척수신경이 각각 척수의 특정 위치에 있으므로 척수는 외형상 분절을 나타낸다. 척수는 8개의 경수분절(cervical segment), 12개의 흉수분절(thoracic segment), 5개의 요수분절(lumbar segment), 5개의 천수분절(sacral segment), 그리고 1개의 미수분절(coccygeal segment)로 구성되어 있다. 이러한 근거에 의거하여 척수는 31개의 분절로 구성되어 있다고 생각되며, 각 분절은 쌍으로 된 전근 및 후근 세사(ventral and dorsal root filament)를 받아들이거나 내보낸다. 태생 3개월까지는 척수가 척주관(vertebral canal)의 전 길이를 차지하지만, 그 후에는 척주(vertebral column)의 성장이 척수의 성장을 앞서게 된다. 출생시에는 척수원뿔이 제3요추에 위치하며, 성인이 되면 제1요추와 제2

요추 사이에 놓이게 되어 척주관의 위 2/3 정도만 차지하게 된다. 척수에서 척수신경이 나오는 위치는 변함이 없지만, 추간공(intervertebral foramen)과 척수 사이의 신경근은 길어지게 되는데 이것은 특히 요수 및 천수신경근의 경우 현저하다[그림 2-1-a, b]. 이들 척수신경근(spinal root)은 경막낭(dural sac) 내에서 상당한 거리를 내려온 후 해당하는 추간공에 도달한다. 척수원추의 아래쪽 지주막하공간(subarachnoid space)에는 많은 척수신경의 전근(ventral root), 후근(dorsal root)이 세로로 배열되어 마치 말꼬리와 같은 모양을 하고 있기 때문에 이를 마미(cauda equina)라고 한다[그림 2-1].

척수신경은 추간공을 통하여 척추관으로부터 빠져나가게 된다. 제1경수신경은 후두골(occiput)과 환추골(atlas) 사이로 빠져나온다[그림 2-1-a, b]. 제8경수신경은 제7경추와 제1흉추 사이의 추간공을 통과한다. 경수신경을 제외한 다른 모든 척수신경은 각 해당하는 숫자의 척추골 바로 아래의 추간공을 통하여 나오게 된다[그림 2-1-a, b]. 후근에서 척수 신경으로 이행되는 부위에서 후근쪽으로는 후근신경절(dorsal root ganglion)이 있으며 척추간공에 위치해 있다. 제1경수신경과 제1미수신경의 경우 후근이 없으며 이 분절에 해당되는 피부분절(dermatome)도 존재하지 않는다. 제5경수신경에서 제1흉수신경에 이르는 부위와 제1요수에서 제4요수에 이르는 부위가 다른 부위에 비해 팽대되어 있고 이를 경수팽대(cervical enlargement)와 요수팽대(lumbar enlargement)라고 한다. 경수팽대에서는 팔에 분포하는 신경 다발인 상완신경총(brachial plexus)이 나오고 요수팽대에서는 다리에 분포하는 신경 다발인 요수신경총(lumbosacral plexus)이 나온다. 척수신경의 후근은 위쪽에서는 짧고 그 경로가 척수의 가로단면에 평행하나, 점차 아래쪽으로 내려 올수록 길어지고 척수의 세로단면에 평행하게 배열된다[그림 2-1-b]. 신경근의 형태와 인접골과의 관계 및 신경총의 구조에 대한 자세한 내용은 제4장 척수신경근편에서 다루었다.

척수에는 여러 개의 세로 주름이 있다. 전면에는 중앙에 깊고 매우 뚜렷한 전정중열(anterior median fissure)이 있고 그 외측에는 전외측열구(an-terolateral sulcus)가 있다. 후면 중앙에는 깊은 후정중열구(posterior median sulcus)가 있고 그 외측에는 후외측열구(posterolateral sulcus)가 있다[그림 2-2].

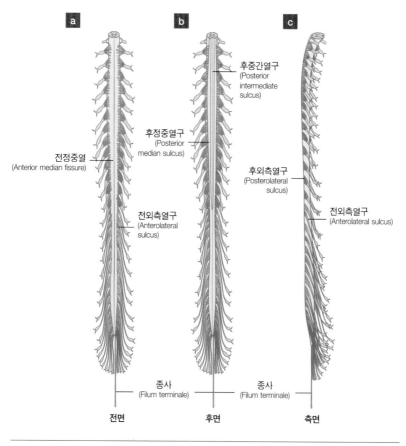

그림 2-2. 척수와 신경근의 외관

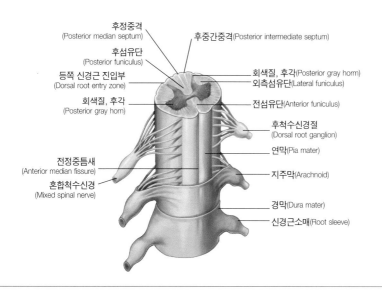

후정중격
(Posterior median septum)

후중간중격(Posterior intermediate septum)

후섬유단
(Posterior funiculus)

등쪽 신경근 진입부
(Dorsal root entry zone)

회색질, 후각
(Posterior gray horn)

회색질, 후각(Posterior gray horn)

외측섬유단(Lateral funiculus)

전섬유단(Anterior funiculus)

후척수신경절
(Dorsal root ganglion)

연막(Pia mater)

전정중틈새
(Anterior median fissure)

혼합척수신경
(Mixed spinal nerve)

지주막(Arachnoid)

경막(Dura mater)

신경근소매(Root sleeve)

그림 2-3. 척수 분절의 내부 구조

전면에서 양쪽의 전외측열구사이를 전섬유단(anterior funiculus)이라고
하며, 후면에서 양쪽의 후외측열구사이를 후섬유단(posterior funiculus)이
라고 하고, 측면에서 후외측열구와 전외측열구사이는 외측섬유단(lateral
funiculus)이라고 한다. 흉수의 중간 분절 이상에는 후정중열구와 후외측열
구 사이에 후중간열구(posterior intermediate sulcus)가 있어 후섬유단을
외측의 설상속(fasciculus cuneatus)과 내측의 박속(fasciculus gracilis)
으로 나누어 준다.

전외측열구에는 전근이 부착되어 있으며, 후외측열구에는 후근이 부착되
어 있다. 전근과 후근은 각각 6-8개의 작은 소근(rootlet)들이 모여 이루어
진 구조이며, 각각의 소근은 전, 후외측열구에 세로로 배열되어 있고 이들이
모여 전근과 후근을 형성한다[그림 2-3]. 전근과 후근은 추간공위치에서 만나
척수신경을 형성한다.

후근을 통해서 들어간 정보는 대부분 시상(thalamus)을 거쳐 대뇌피질
(cerebral cortex)로 전달되거나, 소뇌(cerebellum) 또는 뇌간(brain stem)

의 여러구조로 전달된 후, 여러 복잡한 회로를 거쳐 결국 전각세포(anterior horn cell)와 전신경절자율신경원(preganglionic autonomic neuron)에 전달되며, 전근을 통해 이 세포들이 지배하는 근육, 선(gland)의 효과기(effector)에 전달되어 반응(reaction)을 일으킨다.

후근의 일부 신경섬유는 뇌를 거치지 않고 직접, 또는 척수에 위치한 한두개의 중간신경원(interneuron)을 거쳐 전각세포나 전신경절자율신경세포에 연결되어 있다. 이와 같이 후근을 통해 들어온 구심섬유(afferent fiber)가 척수 내부의 짧은 회로를 통해 신속하게 효과기와 반응하는 경우, 이를 척수반사(spinal reflex)라고 하며, 척수반사를 이루는 회로를 반사궁(reflex arc)이라고 한다.

척수의 신경세포체와 신경섬유는 대부분 세로로 배열되어 있어 회색질(gray matter)과 백색질(white matter)은 세로 기둥의 형태를 하고 있다. 회색질을 회색주(gray column)이라고도 하며, 백색질은 백색주(white column)이라고 한다. 백색주는 후백색주(posterior white column), 후섬유단(posterior funiculus), 전백색주(anterior white column), 전섬유단(anterior funiculus), 외측백색주(lareral white column), 외측섬유단(lateral funiculus)으로 나누어진다.

척수신경은 전근과 후근이 합쳐져 형성되며, 후근에는 척수신경절(spinal ganglion)이 있다. 후근을 통해 척수 후각(posterior horn)으로 들어가는 일반체성구심성분(GSA; general somatic afferent)과 일반내장구심성분(GVA; general visceral afferent) 의 세포체는 척수신경절에 위치해 있다. 전근은 일반체성원심성분(GSE; general somatic efferent)과 일반내장원심성분(GVE; general visceral efferent)으로 구성되어 있다. 일반체성원심성분의 세포체는 척수 전각(anterior horn)에 위치한다. 일반내장원심성분의 세포체는 척수 외측각(lateral horn)에 있으며, 이 세포의 축삭은 전근를 통해 나와 후근와 만나 척수신경을 형성한 다음, 교감신경절(sympathetic ganglion)로 가는 교통가지(rami communicantes)가 되어 척수신경을 빠져 나온다. 교통가지를 이루는 일반내 장원심성분(GVE)의 신경섬유는 유수 신경섬유(myelinated neuron)이기 때문에 흰색을 띄므로 이를 백색교통가지(white rami communicantes)라고 한다. 백색교통가지는 자율신경계의 전신경절교감신경섬유(preganglionic sympathetic fiber)이다. 이 섬유는 교감신경절의 신경원과 연접(synapse)한다. 교감신경절 신경원의 축삭은 회색교통가지(gray rami communicantes)를 통해 척수신경으로 들어간다. 회색교통가지를 이루는 신경섬유는 무수신경섬유(unmyelinated neuron)로 구성되어 있기 때문에 회색으로 나타나며, 교감신경절이후섬유(sympathetic postganglionic fiber)이다. 회색교통가지가 백색교통가지보다 더 근위부에 있어 척수신경으로 들어간 다음에는 척수신경의 가지를 따라 말초부위에 분포한다. 일부 교감신경절 섬유는 내장쪽에 직접 분포하기도 한다.

3절 척수의 수막(Spinal Meninges)

척수수막은 척추관 내의 척수를 둘러싸고 있는 결합조직으로 뇌의 수막(뇌막)과 같이, 질긴 경뇌막(pachymeninges)인 척수경막(spinal dura mater)이 있고 부드러운 연질척수막(leptomeninges)을 구성하는 척수지주막(spinal arachnoid membrane)과 척수연막(spinal pia mater)로 총 세 층으로 구성되어 있다. 지주막과 연막 사이에는 지주막하공간이 있다[그림 2-4].

I 척수경막(spinal dura mater)

뇌경막(cerebral dura mater)과는 다르게 한 층의 막(수막층, meningeal layer)으로 구성된 섬유성의 질긴 막으로 수막의 가장 바깥 층이며 척

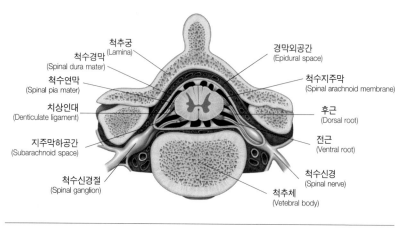

척추궁 (Lamina)
척수경막 (Spinal dura mater)
척수연막 (Spinal pia mater)
치상인대 (Denticulate ligament)
지주막하공간 (Subarachnoid space)
척수신경절 (Spinal ganglion)
경막외공간 (Epidural space)
척수지주막 (Spinal arachnoid membrane)
후근 (Dorsal root)
전근 (Ventral root)
척수신경 (Spinal nerve)
척추체 (Vetebral body)

그림 2-4. 척수와 척추의 단면 구조

추의 골막(periosteum)과 쉽게 분리된다. 척추의 골막과 척수경막 사이의
좁은 공간인 경막외 공간(epidural space)에는 경막외 지방(epidural fat),
소성결합조직(loose connective tissue)과 정맥총(venous plexus)이 있다.
경막외 마취 또는 미추마취는 국소마취제를 경막외 공간에 넣어 마취를 시
키는 방법이다. 척수경막은 원위부로 가면서 마미(cauda equina)를 싸면서
경막낭(dural sac)을 이루며 대체로 제 2천추 위치에서 끝난다. 이의 연장인
외종사(filum terminale externa)는 미추까지 뻗어 있다. 근위부의 끝은
대공에 형성되어 있는 경막 주머니로 이는 후두골에 붙어있다.

Ⅱ 척수지주막(spinal arachnoid membrane)

척수경막의 내면과 매우 가깝게 접해 있고 투명한 층의 성긴막으로 척수연
막과의 사이에는 지주막하공간이 있으며 이 공간에는 뇌척수액(cerebro-
spinal fluid, CSF)이 차지하고 있다. 경막 내면과 지주막 사이에 모세혈관
틈이 있고 이는 경막하 공간(subdural space)으로 병적인 조건(예. 경막하
출혈)하에서만 넓어진다. 척수 하단의 지주막하공간은 척수원추가 끝나는

제 1요추의 하단에서 척수경막이 끝나는 제 2천추까지 상당히 넓어져 있다. 이 공간을 종말수조(terminal cistern) 또는 요수조(lumbar cistern)라고 한다. 뇌척수액의 성분을 검사하기 위하여 시행하는 척수천자(spinal puncture)는 제2, 제3요추 사이의 지주막하 공간에서 뇌척수액을 채취하는 것이며, 척수 마취(spinal anesthesia)는 이 부분에 국소마취제를 넣는 것이다. 경막과 지주막은 척수 신경근과 함께 추간공을 통과하며 또한 척수 신경절을 감싸고 있다.

Ⅲ 척수연막(spinal pia mater)

척수의 가장자리 교세포 층과 직접 접해 있는 부분으로 중배엽과 외배엽 신경조직 사이의 경계선을 보여준다. 척수연막은 척수로 들어가는 많은 작은 혈관을 포함한다. 척수연막은 척수의 전정중열(anterior median fissure)와, 후정중열구(posterior median sulcus), 후중간열구(posterior inter-mediate sulcus)등의 고랑 속에도 들어가, 전정중격(anterior median septum), 후정중격(posterior median septum), 후중간격(posterior in-termediate septum)을 형성한다. 이의 끝부분은 내종사(internal filum terminale)가 되어 지주막하 마미의 중심부에 세로로 배열되어 있다. 내종말끈은 대략 제 2 천추의 높이에서 경막의 연장인 외종사(external filum terminale)에 의해 싸여져 미추인대(coccygeal ligament)를 형성하며, 미추의 후면에 부착된다.

Ⅳ 치상인대(denticulate ligament)

뇌연막과 다르게 척수 연막에서만 볼 수 있는 특수한 구조로서 경수부터 요수부까지에서 척수의 측면에서 나와 경막에 부착되어 뇌척수액 안에 떠서 척수를 고정시키는 역할을 한다. 이는 대체로 삼각형 모양이며 척수에

20~22 쌍이 존재한다. 치상인대의 앞쪽에는 운동신경근이, 뒤쪽에는 감각 신경근이 위치한다.

 4절 척수의 높이(Spinal Cord Level)에 따른 특징

척수의 각 높이(level)는 (1) 크기와 형태, (2) 상대적인 회색질및 백색질의 양, 그리고 (3) 회색질의 배열과 형태에 있어서 각기 다르다[그림 2-5]. 일반적으로 백색질의 절대량은 상부로 갈수록 증가한다.

그 이유는 경수분절의 백색질에는 신경섬유의 숫자가 가장 많기 때문이다. 왜냐하면 (1) 하행신경섬유(descending fiber)들이 아래분절들까지 아직 도달하지 않았고, (2) 상행신경섬유(ascending fiber)들은 각각 연속되는 두측 분절(rostral segment)에서 계속 그 수가 증가하여 최고에 달하기 때문이다.

반면에 회색질은 그 부위의 신경원이 지배하는 영역이 넓을수록 커진다. 즉, 팔다리의 근육을 지배하는 경수와 요수팽대 부분의 회색질은 다른 부분에 비해 크며, 동체를 지배하는 흉수의 회색질은 매우 적다. 또한, 팔과 다리를 지배하는 팽대부에서 전각은 외측이 크게 돌출되어 있는 반면, 비팽대부에서는 외측이 돌출되어 있지 않다. 팽대부에서는 후각이 두껍고 짧게 보이지만 비팽대부에서는 얇고 길게 나타난다. 척수분절의 상대적인 크기와 백색질의 양을 고려할 때 요천수는 가장 많은 회색질을 포함하고 있다.

I 경수(Cervical Cord)

이 분절은 비교적 크고, 비교적 많은 양의 백색질, 그리고 타원형의 형태가 그 특징이다[그림 2-5]. 거의 모든 높이에서 좌우직경(transverse diameter)이 전후직경(anteroposterior diameter)보다 크다.

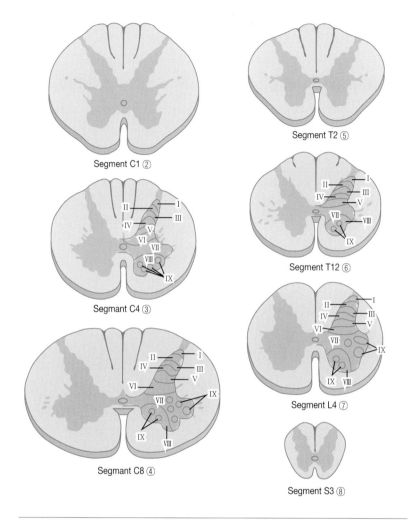

그림 2-5. 척수의 부위별 단면 구조

후섬유단은 뚜렷한 후중간중격(posterior immediate septum)에 의하여 박속과 설상속으로 나누어진다. 제5경수 이하 분절에서는 후각이 커지고 전각은 잘 발달되어 외측섬유단으로 뻗어 있다. 후각의 목(neck) 근처에는 톱날모양의 망상돌기(reticular process)가 위치한다. 상위경수분절 (C1 및

C2)에서는 후각이 크고, 전각은 상대적으로 작다.

Ⅱ 흉수(Thoracic Cord)

이 분절에서는 각 높이에 따라 크기의 변화가 심하다. 흉수분절의 지름이 작은 이유는 주로 회색질의 두드러진 감소에 기인한다[그림 2-5]. 상위흉수분절(T1-T6)에서는 박속과 설상속이 둘 다 존재하지만 미측에서는 박속만 관찰된다. 전각과 후각은 보통 작으며 끝은 다소 뾰족하다. 그러나 제1흉수 분절은 경수팽대부의 맨 아래 분절을 구성한다는 점에서 예외적이다. 작은 외측각이 흉수의 전 높이에 걸쳐 위치해 있고, 이것은 중간외측세포주(inter-

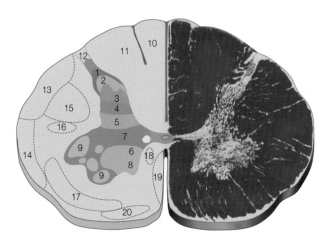

1. 후변연핵(Posteriomarginal nucleus)	11. 설상속(Fasciculus cuneatus)
2. 교양질(Substantia gelatinosa)	12. 리사우어 신경로(Lissauer's tract)
3. 고유핵(Nucleus proprius)	13. 후척수소뇌로(Posterior spinocerebellar tract)
4. 망상돌기(Reticular process)	14. 전척수소뇌로(Anterior spinocerebellar tract)
5. 클라크주(Clarke's column)	15. 외측피질척수로(Lateral corticospinal tract)
6. 중간내측세포주(Intermediomedial cell column)	16. 적색척수로(Rubrospinal tract)
7. 중간회색질(Intermediate gray matter)	17. 척수시상로(Spinothalamic tract)
8. 내측전각세포(Medial anterior horn cell)	18. 내측종속(Medial longitudinal fasciculus; MLF)
9. 외측전각세포(Lateral anterior horn cell)	19. 전피질척수로(Anterior corticospinal tract)
10. 박속(Fasciculus gracilis)	20. 전정척수로(Vestibulospinal tract)

그림 2-6. 경수(C8 level)의 단면구조

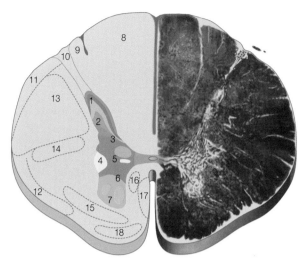

1. 후변연핵(Posteriomarginal nucleus)
2. 교양질(Substantia gelatinosa)
3. 고유핵(Nucleus proprius)
4. 망상돌기(Reticular process)
5. 클라크주(Clarke's column)
6. 중간내측세포주(Intermediomedial cell column)
7. 전각세포(Anterior horn cell)
8. 박속(Fasciculus gracilis)
9. 설상속(Fasciculus cuneatus)

10. 리사우어 신경로(Lissauer's tract)
11. 후척수소뇌로(Posterior spinocerebellar tract)
12. 전척수소뇌로(Anterior spinocerebellar tract)
13. 외측피질척수로(Lateral corticospinal tract)
14. 적색척수로(Rubrospinal tract)
15. 척수시상로(Spinothalamic tract)
16. 내측종속(Medial longitudinal fasciculus; MLF)
17. 전피질척수로(Anterior corticospinal tract)
18. 전정척수로(Vestibulospinal tract)

그림 2-7. 흉수(T8 level)의 단면구조

mediolateral cell column)를 포함하는데 이것에서 전신경절교감원심성섬
유(preganglionic sympathetic efferent fibers)가 기시한다. 후각 내측면
의 바닥부위에는 큰 세포들의 둥근 접합체가 위치하는데 이것을 클라크 배
핵(dorsal nucleus of Clarke), 또는 흉수핵(nucleus thoracicus)이라 한
다. 이 핵은 흉수의 모든 분절에 존재하지만 특히 제10흉추–제2요추에서 잘
발달되어 있다 [그림 2–7].

III 요수(Lumbar Cord)

이 분절은 가로절단면에서 거의 원형이며 굵은 전각 및 후각을 가지며 경수분절과 비교하여 볼 때 상대적으로 또한 절대적으로 백색질이 적다[그림 2-5]. 후섬유단에서의 박속은 윗부분만큼 넓지 못하며 이것은 특히 회색교련 (gray commissure)에서 두드러진다. 그리고 이 박속은 매우 특징적인 외형을 이룬다. 잘 발달된 전각은 외측섬유단까지 뻗어 있는 무딘돌기를 가지고 있으며 제3요추−제5요추 분절의 돌기에 위치하는 운동세포는 하지의 큰 근육들을 지배한다. 상위요수(L1−L2)는 크고 발달된 클라크 배핵과 중간외측 세포주을 포함하고 있어서 하위흉수분절(lower thoracic segment)과 유사하다.

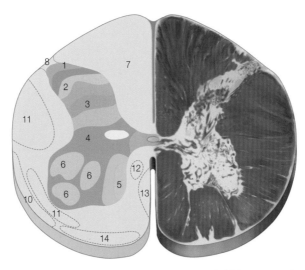

1. 후변연핵(Posteriomarginal nucleus)
2. 교양질(Substantia gelatinosa)
3. 고유핵(Nucleus proprius)
4. 중간회색질(Intermediate gray matter)
5. 내측 전각세포(Medial anterior horn cell)
6. 외측 전각세포(Lateral anterior horn cell)
7. 박속(Fasciculus gracilis)

8. 리사우어 신경로(Lissauer's tract)
9. 외측피질척수로(Lateral corticospinal tract)
10. 후척수소뇌로(Posterior spinocerebellar tract)
11. 척수시상로(Spinothalamic tract)
12. 내측종속(Medial longitudinal fasciculus; MLF)
13. 전피질척수로(Anterior corticospinal tract)
14. 전정척수로(Vestibulospinal tract)

그림 2-8. 요수(L3 level)의 단면구조

Ⅳ 천수(Sacral Cord)

이 분절은 그 크기가 작으며 상대적으로 많은 양의 회색질, 상대적으로 적은 양의 백색질, 그리고 짧고 굵은 회색교련에 의하여 특정 지어진다. 전각과 후각은 크고 두꺼우나 전각은 요수의 경우처럼 외측으로 뻗어 있지 않다. 아래로 내려가면서 천수는 전체의 직경이 감소하고 있으나 회색질이 차지하는 큰 비율은 그대로 유지된다. 미수분절은 천수의 아래분절들과 그 형태가 비슷하나 크기가 훨씬 더 작다. 후백색주(posterior white column)의 섬유는 후각을 향하여 외측으로 퍼져 나간다.

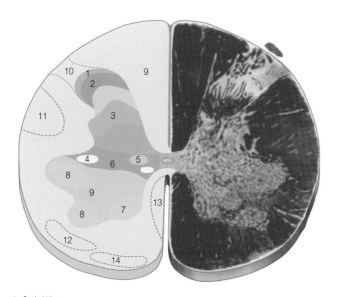

1. 후변연핵(Posteriomarginal nucleus)
2. 교양질(Substantia gelatinosa)
3. 고유핵(Nucleus proprius)
4. 중간외측핵(Interediolateral nucleus)
5. 중간내측핵(Intermediomedial nucleus)
6. 중간회색질(Intermediate gray matter)
7. 내측 전각세포(Medial anterior horn cell)
8. 외측 전각세포(Lateral anterior horn cell)
9. 박속(Fasciculus gracilis)
10. 리사우어 신경로(Lissauer's tract)
11. 외측피질척수로(Lateral corticospinal tract)
12. 척수시상로(Spinothalamic tract)
13. 전피질척수로(Anterior corticospinal tract)
14. 전정척수로(Vestibulospinal tract)

그림 2-9. 천수(S1 level)의 단면구조

참고문헌

1. Carpenter MB: Core text of Neuroanatomy

2. Werner Kahle, Michael Frotscher: Nervous system and sensory organs-Color atlas and textbook of Human anatomy 5th edition - Volume 3

3. 이원택, 박경아: 의학신경해부학 제 2판

4. Brown, A. G.: Organization of the Spinal Cord. Springer, Berlin 1981

5. Noback, Ch. N., J. K. Harting: Spinal cord. In: Primatologia, Bd. II/1, hrsg. von H. Hofer, A. H. Schultz, D.Starck. Karger, Basel 1971

6. Barson AJ : The vertebral level 01 termination of the spinal cord during normal and abnormal development: J Anat London 106:489-497, 1970

7. Barson AJ, Sands J : Regional and segmental characteristics of the human adult spinal cord: J Anat London 123:797-803 1970

척수의 혈관분포

척수의 혈관분포

○ 조용은, 구성욱

1절 척수의 동맥

척수는 하향 주행하는 척추동맥(vertebral artery)의 분지와 여러 분절의 척추간공으로 들어와 척수의 후근과 전면에 분포하는 다수의 신경근동맥(radicular artery)으로부터 혈액 공급을 받는다. 척추동맥이 연수(medulla)의 전측방 표면을 따라 상승하는 부분에서 1개의 전척수동맥(anterior spinal artery)과 2개의 후척수동맥(posterior spinal artery)을 분지하며 이들은 척수에 세로로 길게 분포한다. 이 동맥들은 척수의 표면에서 서로 연결되어 백색질과 회색질 속으로 분지한다. 개인에 따라 이러한 동맥들의 크기나 척주관(vertebral canal)으로 진입하는 위치에 차이를 보인다.

I 후척수동맥

한 쌍의 후척수동맥은 후근이 부착된 내측으로 척수의 뒤쪽 표면을 따라 하강한다. 이 혈관들은 후하소뇌동맥(posterior inferior cerebellar artery)나 척추동맥에서 나오며 후신경근동맥(posterior radicular artery)으로부터 다양한 형태로 공급을 받으면서 후근진입구역(dorsal root entry zone) 근처에서 두개의 세로로 된 그물 모양의 채널을 형성한다. 특정 위치에 도달하면 이러한 척수 동맥들은 크기가 작아지면서 끊어진 것처럼 보이게 된다. 이 동맥과 그 분지들은 척수의 뒤쪽 1/3에 혈액을 공급한다. 후척수동맥이 나오는 위치는 전척수동맥이 나오는 위치보다 항상 아래쪽이다[그림 3-1].

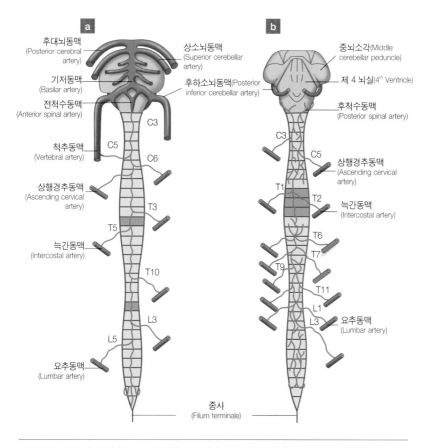

그림 3-1. 척수의 동맥 분포. **a.** 전면부의 동맥. **b.** 후면부의 동맥.
손상에 취약한 부위가 붉은 색으로 표시되어 있으며 가장 중요한 근동맥들이 표기되어 있음.

Ⅱ 전척수동맥

전척수동맥은 좌우 척추동맥에서 각각 하나의 가지가 한 쌍으로 나와 연수의 상부에서 두 개가 합쳐져 하나의 하강하는 정중선 상의 혈관이 된다. 이 혈관은 전정중격막(anterior median septum)을 따라 하부 연수의 정중 가지(midline rami)와 척수의 전정중열(anterior median fissure)로 들어가는 열구지(sulcal branch)가 나오며 중심관(central canal) 앞에서 중심지(central branch)들로 나뉘어져 척수 내부에 분포한다. 전척수동맥의 가지들은 척수의 실질 속으로 들어가 앞쪽 2/3에 혈액을 공급한다. 전척수동맥의 지속 여부는 전신경근동맥에서 받는 문합 분지들에 따라 달라진다. 전신경근동맥은 완만하게 위로 올라가거나 급격히 아래로 꺾이면서 전척수동맥에 합류한다. 두개의 전신경근동맥이 같은 분절의 척수에 도달하는 곳에서 다이아몬드 모양의 동맥 모양이 만들어진다.

전, 후척수동맥들은 척수 전반에 걸쳐 문합통로(anastomatic channel)를 형성하면서 신경근동맥에서 분지를 받는다. 척추동맥의 분지들은 실질적으로 경수부 전체의 주된 혈액 공급을 제공한다. 흉수부에서 전척수동맥은 크기가 매우 작아져서 신경근동맥이 해당 분절 위나 아래에서 폐쇄되어도 기능적인 문합을 형성하지 못할 수 있다. 척수원추(conus medullaris)를 둘러싼 동맥의 고리는 전척수동맥의 최하단 원위부와 연결된다[그림 3-2].

Ⅲ 신경근동맥

신경근동맥과 척수동맥은 서로 문합되어 있는 경우가 많아 척수동맥을 통해 위에서 내려오는 혈액 공급을 각 분절로 들어오는 신경근동맥이 공급을 보충해 주는 역할을 하여 이를 수질공급동맥(medullary feeder artery)이라고도 한다. 신경근동맥은 상행경추(ascending cervical), 심부경추(deep cervical), 늑간(intercostal), 요추(lumbar) 및 천추(sacral) 동맥과 같은

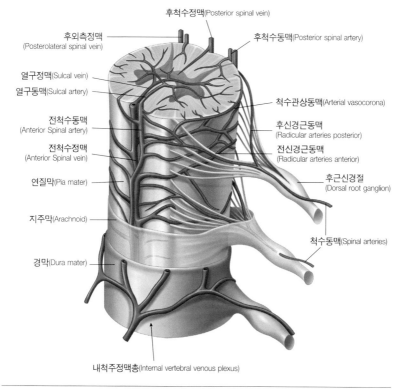

후척수정맥(Posterior spinal vein)

후외측정맥
(Posterolateral spinal vein)

후척수동맥(Posterior spinal artery)

열구정맥(Sulcal vein)
열구동맥(Sulcal artery)

척수관상동맥(Arterial vasocorona)

전척수동맥
(Anterior Spinal artery)

후신경근동맥
(Radicular arteries posterior)

전척수정맥
(Anterior Spinal vein)

전신경근동맥
(Radicular arteries anterior)

연질막(Pia mater)

후근신경절
(Dorsal root ganglion)

지주막(Arachnoid)

척수동맥(Spinal arteries)

경막(Dura mater)

내척주정맥총(Internal vertebral venous plexus)

그림 3-2. 경막을 비롯한 내부 구조와 관련된 척수의 동정맥 분포

분절 혈관들에서 기원되어 추간신경공을 지나면서 전후 신경근동맥으로 나
뉘어져 척수의 전근, 후근과 함께 주행한다. 이 동맥들은 흉추, 요추, 천추,
미추의 척추 분절에 주된 혈액 공급을 담당한다. 신경근동맥은 경추부 척수
에서는 양측에서 동등하게 분포하는 반면 흉추와 요추부 척수에서는 좌측
에서 더 빈번하게 분포한다. 신경근동맥은 동반된 척수 신경근의 복측 표면
을 따라 주행한다. 신경외막(epineurium)이 경막과 혼합되는 지점에서 신경
근동맥은 지주막하 공간으로 들어간다. 단일 신경근동맥은 전척수동맥이나
후척수동맥이 될 수도 있고 양측 모두를 형성할 수도 있다. 작은 가지들은
동반된 척수 신경근과 경막에 혈액을 공급하는 역할을 하기도 한다.

전신경근동맥에서는 2개에서 17개까지 다양하게 나타나지만 6개에서 10개 사이가 가장 흔하게 나타난다. 경추부 척수는 6개의 전신경근동맥까지 분포하는 반면 흉추부 척수는 2개에서 4개, 요추부 척수는 1개 또는 2개의 전신경근동맥이 분포한다. 수질공급동맥은 경추 척수 영역에서는 양측성인 경우도 있으나 대부분 한쪽에서만 기원한다. 요추부에 분포하는 전신경근동맥 가운데 하나는 다른 혈관에 비하여 상대적으로 크기가 훨씬 크며 이를 아담키비츠 동맥(artery of Adamkiewicz)으로 알려져 있다. 전체의 75%에서 이 동맥은 흉추 9번에서 12번 분절에서 대동맥으로부터 직접 분지하며 척수의 하방 2/3의 혈액 공급을 담당한다는 점에서 중요성을 가진다. 이 신경근동맥은 하부 흉추나 상부 요추의 신경근 좌측을 따라 주행하는 경우가 가장 흔하게 관찰된다. 흉추부에서 수질공급동맥의 수가 적어 신경근동맥 사이의 간격이 가장 넓으며 이는 해당 신경근동맥이 폐색될 경우 심각한 순환 장애를 유발하여 척수에 심한 손상이 올 수 있다는 것을 의미한다. 하나 이상의 동맥에서 혈액 공급을 받는 특정 척추 영역은 이들 가운데 하나의 동맥에서 혈액 공급이 갑자기 막힐 경우 부분적으로 취약한 성격을 가진다. 상부 흉추 (흉추 1–4번)와 요추 1번은 후척수동맥이 작기 때문에 신경근동맥이 막히면 이 부위에 허혈(ischemia)로 인한 장애가 발생하기 쉬우며 척수에서 가장 취약한 부분으로 알려져 있다. 늑간 동맥은 경추와 요천추 영역에서 다른 척추외 동맥(extraspinal artery)과 같이 동일한 광범위하게 연결되는 방식으로 다른 동맥들과 서로 연결되지 않는다. 취약 지역에서 하나의 늑간 동맥이 폐색될 경우 척수 경색을 유발할 수 있다. 임상 양상은 대동맥의 박리성 동맥류(dissecting aneurysm)에서나 대동맥 수술의 결과로 하나 이상의 늑간 동맥이 폐색되는 경우와 유사하게 나타난다. 요추 1번 분절 척수는 취약 부위 가운데 하나로 척수의 전면부가 혈관 손상(vascular insult)에 민감한 양상을 보인다.

후신경근동맥은 10개에서 23개로 나타나며 척수의 후측면에서 갈려져 한 쌍의 후척수동맥으로 합쳐진다. 이 혈관들은 좌측에서 더욱 자주 관찰되지만 좌측에서 나타나는 경향이 전신경근동맥에서와 같이 뚜렷하지는 않다.

전척수동맥은 전정중격막을 따라 중심관(central canal)의 앞까지 뻗어 열구지(sulcal branch)로 분지하며, 좌우 양측으로 나뉘어지는 간헐적인 분지를 제외하고는 교대로 좌측과 우측으로 번갈아 지나간다. 전척수동맥으로부터 나오는 중심지(central branch)들은 중심관 앞에서 분지되어 척수 내부에 분포하고 가지의 수가 많으며 척수의 경추와 요추 영역에서 더 큰 직경을 가진다. 전척수동맥의 열구지는 척수의 전각, 외측각, 중심회질부, 후각의 기저부를 공급한다. 그리고 이 가지들은 전섬유단(anterior funiculus)와 외측섬유단(lateral funiculus)에도 혈액을 공급한다. 척수의 후면에서는 후척수동맥(posterior spinal artery)에서 후외측열구, 후중간열구, 후정중열구를 따라 나오는 가지들이 척수 후각과 후섬유단에 혈액을 공급한다.

척수의 측면과 후면의 일부에서는 척수동맥과 신경근동맥의 가지들이 서로 연결되어 동맥총(arterial plexus)을 형성하여 척수 주위를 둘러싸고 있기 때문에 척수관상동맥(arterial vasocorona) 또는 표면관상동맥(superficial coronal artery)이라고 한다. 척수쪽으로는 관통가지(perforating branch)를 보내어 척수의 전섬유단과 외측섬유단의 가장자리 부분에 혈액을 공급한다.

척수의 혈액 공급은 하나 이상의 공급원이 있는 특정 이행 영역에서 저해될 수 있다. 예를 들어 경추 분절들은 척추 동맥의 가지들에 의해 주된 공급을 받으며 상행경추동맥(ascending cervical artery)의 작은 가지들에 의해 부가적인 공급을 받는다. 반면 흉수의 상부에서는 늑간 동맥의 근 분지들에 의존한다. 하나 이상의 늑간 모혈관에서 직접적인 손상이나 결찰에 의한 기능 부전이 발생한다면 흉추 1번에서 4번 사이의 척수 분절은 전척수동맥의 작은 열구지로만 충분한 혈액 공급을 유지할 수 없다. 따라서 흉추 1번에서 4번, 특히 흉추 4번은 전척수동맥의 분포 영역에서 취약한 부분으로 생각되고 있다. 취약 영역에서의 늑간 동맥의 폐색은 척수 경색을 유발할 수 있으며 이러한 경우의 임상 양상은 대동맥의 박리성 동맥류나 대동맥 수술의 부작용으로 하나 이상의 늑간 동맥이 폐색되는 경우와 유사하게 나타난다. 요추 1번 척수부는 다른 취약 지점 중 하나이다. 척수의 후면부 가운데 혈관 손상에 가장 민감한 부분 또한 흉추 1번에서 4번 사이 분절이다. 이러한 혈관 손상은 분절 전체의 괴사를 유발하여 척수의 완전 절단과 비슷한 정도의 심각한 신경학적 증상을 유발할 수 있다.

② 2절 척수의 정맥

척수의 유출 정맥은 동맥과 유사한 일반적 체계를 이루고 있으며 대체로 동맥과 함께 주행한다. 전종체간(anterior longitudinal trunk)은 전내측정맥(anteromedian vein)과 전외측정맥(anterolateral vein)으로 이루어져 있다. 열구정맥(Sulcal vein)은 척수의 전정중격 부분에서 유출되어 전내측정맥으로 들어간다. 양측의 열구정맥은 척수의 양측 각각의 지역에 분포하여 혈액의 유출을 담당한다. 척수의 전외측 지역은 혈액 공급을 받아 전외측정맥과 척수관상정맥(venous vasocoronal)으로 연결된다. 전내측정맥과 전외측정맥은 경막외 정맥총(epidural venous plexus)로 들어가는 6개 내지 11개의 전근정맥으로 연결된다. 요추 영역의 하나의 커다란 신경근정맥은 거대근정맥(vena radicularis magna)으로 불리운다. 다른 작은 크기의 신경근정맥들은 척수를 따라 분포한다.

후종정맥체간(posterior longitudinal venous trunk)은 후정중정맥(posteromedian vein)과 한쌍의 후외측정맥(posterolateral vein)으로 이루어져 있으며 후섬유단(posterior funiculus), 기저부를 포함한 후각(posterior horn) 및 후각 주위의 외측섬유단(lateral funiculus)로부터 혈액을 받는다. 후종정맥(posterior longitudinal vein)은 경막외 정맥총으로 들어가는 5개에서 10개의 후신경근정맥으로 연결된다. 이는 척수를 둘러싼

관상정맥(venous vasocoronal)에 의해 서로 연결된다.

내척주정맥총(internal vertebral venous plexus 또는 경막외 정맥얼기 epidural venous plexus)은 경막과 척추의 골막 사이에 위치하고 사대(cli-vus)부터 천추에 걸쳐 다분절에서 서로 연결되는 두개 이상의 전,후종 정맥 채널로 이루어진다. 각각의 추체 사이 공간에서 외척주정맥총(external vertebral venous plexus) 이외에도 흉추, 복부 및 늑간 정맥과 연결을 이루고 있다. 이러한 척추 정맥계에는 정맥판(valve)이 없기 때문에 이들 채널에서 발생한 혈류는 바로 전신의 정맥 체계로 들어간다. 복강 내압이 올라가면 골반총(pelvic plexus)으로부터 정맥혈이 내척주정맥계로 올라 들어간다. 경정맥이 막힐 경우에는 혈액이 이 신경총을 따라 두개골을 빠져나간다. 전립선총(prostatic plexus)으로 연결되는 이 정맥총의 연속되는 부분이 종양이 전이하는 경로가 될 수 있다. 경막외 정맥 조영도(epidural veno-gram)는 내척주정맥총의 세세한 부분을 보여줄 수 있으며 척추경 정맥(pediculate vein)이 항상 조영되어 추간공 상하 경계의 윤곽이 나타나게 된다.

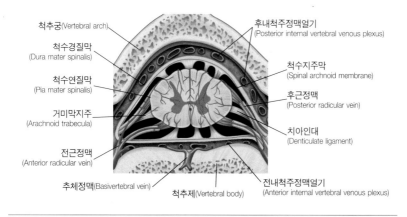

그림 3-3. 척수에 분포하는 정맥(vein), 정맥얼기(venous plexus)와 수막(meninges)과의 관계.

참고문헌

1. 대한신경외과학회: 신경외과학 개정 4판: 중앙문화사, 2012
2. 대한척추신경외과학회: 척추학, 군자출판사, 2008
3. 박경한 외 공역: 스넬 임상 신경 해부학 제6판, 서울: 신흥 메드싸이언스, 2007
4. 이원택 박경아 공저: 의학 신경 해부학, 제2판, 서울: 고려의학
5. Carpenter MB : Core text of Neuroanatomy, ed 4th. Maryland : Williams & Willkins, 1991

척수신경, 신경총의 구조

척수신경, 신경총의 구조

○ 정천기, 김치헌

1절 척수신경(spinal nerve)의 구성

- 척수신경(spinal nerve)은 전방 외측에 있는 전근(ventral root)과 후방 외측에 있는 후근(dorsal root)이 척추간공(intervertebral foramen) 위치에서 만나서 형성이 된다. 전근의 세포체는 척수의 전각(anterior horn)과 외측각(lateral horn)에 위치해 있고 후근의 세포체는 척수신경절(spinal ganglion)에 위치해 있다. 척수신경절은 주로 추간공(intervertebral foramen) 근처에 위치해 있으며 이후에 전근과 후근이 합쳐져서 척수신경을 형성한다[그림 4-1A].

- 동척추신경(sinuvertebral nerve)는 meningeal or recurrent meningeal nerve 또는 nerve of von Luschka와 동일한 신경이다. 각각 척추 분절의 신경공에 2-6개의 동척추신경이 지나간다. 동척추신경은 척수신경절(spinal ganglion) 외측에 있는 1-2개의 교통신경가지(rami communicantes)에서 기시하며 통증과 고유 감각을 담당한다. 동

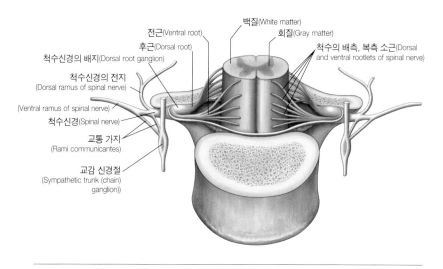

백질(White matter)
회질(Gray matter)
전근(Ventral root)
후근(Dorsal root)
척수신경의 배지(Dorsal root ganglion)
척수의 배측, 복측 소근(Dorsal and ventral rootlets of spinal nerve)
척수신경의 전지
(Dorsal ramus of spinal nerve)
(Ventral ramus of spinal nerve)
척수신경(Spinal nerve)
교통 가지
(Rami communicantes)
교감 신경절
(Sympathetic trunk (chain) ganglion))

그림 4-1A. 척추체, 척수신경, 신경절, 교감신경절의 위치 관계

척추신경은 후근신경절의 전방으로 주행하며 척추신경공을 통해서 다시 척추강으로 들어간다[그림 4-1B]. 척추강 안에서는 위, 아래, 사행, 평행으로 주행하며 다른 마디에서 오는 동척추신경들과 교통한다. 일부 동척추신경은 위, 아래 2 분절까지 주행하기도 한다. 동척추신경은 경막, 혈관, 후종인대, 전종인대, 골막 그리고 섬유륜에 분포해 있다. 경추에서는 종축으로 주행이 길어서 3분절 이상 주행 이후 신경분포를 하는데 편타성 손상에서 경추성 두통에 관여한다는 의견도 있다[그림 4-1B].

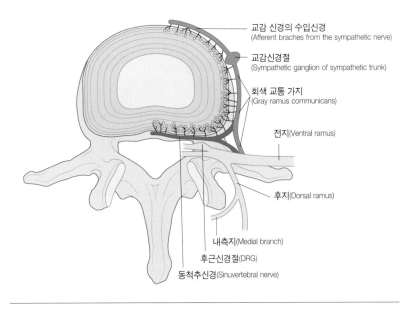

교감 신경의 수입신경
(Afferent braches from the sympathetic nerve)

교감신경절
(Sympathetic ganglion of sympathetic trunk)

회색 교통 가지
(Gray ramus communicans)

전지(Ventral ramus)

후지(Dorsal ramus)

내측지(Medial branch)

후근신경절(DRG)

동척추신경(Sinuvertebral nerve)

그림 4-1B. 척추신경공 근처의 신경 분포

2절 척수, 척수신경과 척추체의 관계

- 척수신경은 모두 31쌍이며 경수 8쌍, 흉수 12쌍, 요수 5쌍, 천수 5쌍, 미수 1쌍으로 구성이 되어 있다. 각 척수 분절에서 나온 척수신경은 추간공으로 주행한다.

- 척수신경소근(rootlets)은 상부 경추 부위에서는 척수 분절과 신경근이 거의 평행하게 나오게 되나 아래로 내려 올수록 주행이 길어지고 척수의 세로 단면에 평행하게 주행한다[그림 4-2A] 척수가 끝나는 척수 원추(conus)에서는 많은 전근, 후근들이 말 꼬리처럼 배열되어 있어서 마미(cauda equina)라고 한다.

- 경추 1번(Atlas) 상방에서 경수 1번 신경이 나오며 경추 1-2 번 사이에서 경수 2번 신경이 나온다. 제 8 경수 신경은 경추 7번과 흉추 1번 사

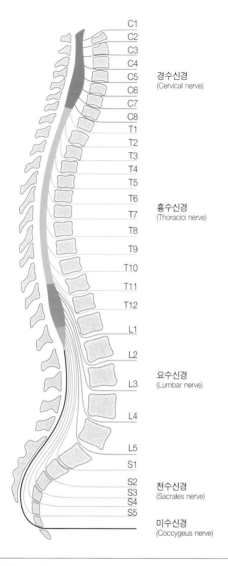

C1
C2
C3
C4
C5   경수신경
C6   (Cervical nerve)
C7
C8
T1
T2
T3
T4
T5
T6
T7   흉수신경
T8   (Thoracici nerve)
T9
T10
T11
T12
L1
L2
L3   요수신경
L4   (Lumbar nerve)
L5
S1
S2
S3   천수신경
S4   (Sacrales nerve)
S5
미수신경
(Coccygeus nerve)

그림 4-2A. 척수 분절(spinal cord segment), 척수신경(spinal nerve)과 척주(vertebral column)의 관계.

이 신경공에서 나온다. 이후 흉, 요, 천추에서는 각 척추체의 신경공에서 해당 척수신경이 나오게 된다.

Ⅰ 디스크와 신경근의 관계

1. 경추

1) 척수에서 나온 신경근들은 디스크와 거의 평행하게 주행하여 추간공으로 주행한다. 그러므로 추간판 탈출증시 추간공으로 주행하는 신경근이 눌리게 된다. 경추 1번의 상부로 나오는 신경은 C1 이므로 C5-6 추간판 탈출증시 C6 신경근이 눌리게 된다.

2) 흉추부터는 각 척추체의 척추경 아래로 분절의 신경근이 주행한다. 예를 들면 흉추 1번 척추경 아래로 흉추 1번 신경근이 주행한다. 디스크의 위치에 따라서 추간공에 위치하면 척추분절의 신경근 증상이, 내측으로 위치하면 아래 신경근 증상과 같이 척수신경병증이 발생한다.

2. 요추

1) 요추 신경근은 척수에 예각으로 아래 방향으로 주행하여 디스크를 지나서 척추경 아래로 주행한다. 요추 4번의 척추경 아래로 요추 4번 신경근이 주행한다. 이 아래로 디스크가 위치해 있어서 추간판 탈출증이 아래 신경근의 증상이 발현한다. 예를 들면 L4-5 추간판 탈출증시 L5번 신경근의 압박에 의한 증상이 생긴다. 하지만 측외 추간판 탈출증(far lateral disc herniation) 의 경우에는 척추 분절에 해당하는 신경근이 압박되게 된다[그림 4-2B].

3절 척수신경 및 신경총

- 뇌막 가지를 낸 이후 척수신경은 배지(dorsal ramus)와 전지(ventral ramus)로 나누어진다. 배지는 등의 피부와 근육에 전지는 체간과 팔다

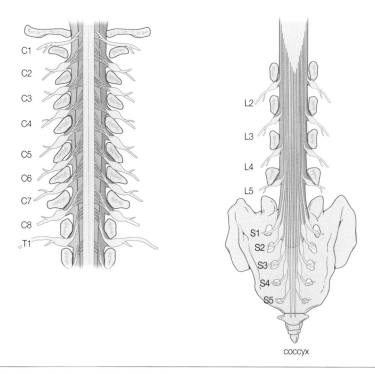

그림 4-2B. 디스크와 신경근의 위치 관계

리에 분포한다. 배지 및 체간에 분포하는 전지들은 지배하는 영역이 비교적 구별이 되어 있으나 팔, 다리는 척수신경들이 신경총(nerve plexus)을 형성(상완 신경총, brachial plexus; 요천추 신경총, lumbosacral plexus) 한 이후 팔, 다리에 분포한다.

· 피부 분절(dermatome)은 각각 척수신경이 감각을 지배하는 영역을 의미하며 머리에서부터 순서에 따라서 일정하게 분포를 한다. 하지만 척수신경들은 복잡하게 얽히며 감각영역들이 일부 겹쳐져 있어서 척수신경손상 시 완전 감각 소실보다는 부분 감각 소실이 일어난다[그림 4-3].

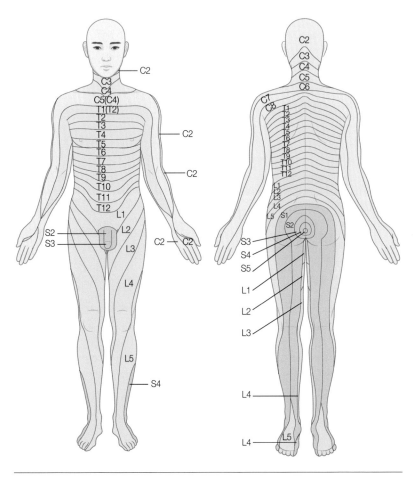

그림 4-3. 척수신경에 따른 피부 분절

4절 경신경총(cervical plexus)

- 뇌신경 12번과 경수 1-5 신경에 의해 형성이 되며 주로 목의 근육을 지
  배한다.

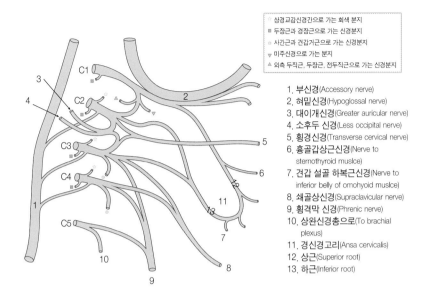

1. 부신경(Accessory nerve)
2. 혀밑신경(Hypoglossal nerve)
3. 대이개신경(Greater auricular nerve)
4. 소후두 신경(Less occipital nerve)
5. 횡경신경(Transverse cervical nerve)
6. 흉골갑상근신경(Nerve to
   sternothyroid muslce)
7. 견갑 설골 하복근신경(Nerve to
   inferior belly of omohyoid muslce)
8. 쇄골상신경(Supraclavicular nerve)
9. 횡격막 신경(Phrenic nerve)
10. 상완신경총으로(To brachial
    plexus)
11. 경신경고리(Ansa cervicalis)
12. 상근(Superior root)
13. 하근(Inferior root)

그림 4-4. 경신경총

- 피부 감각 신경으로는 대이개신경(greater auricular nerve), 횡경신경(transverse cervical nerve), 소이개신경(lesser occipital nerve) 및 쇄골상신경(supraclavicular nerve)가 나온다.
- 근육 신경으로는 목신경고리(ansa cervicalis) (C1-3)가 이설골근(geniohyoid muscle), 갑상설골근(thyrohyoid muscle), 흉골갑상근(sternothyroid muscle), 흉골설골근(sternohyoid muscle)과 견갑설골근(omohyoid muscle)을 지배하며 횡격막신경(phrenic nerve) (C3-5)이 횡격막과 심외막을 경추 1-4 분절 가지가 전, 중사각근(anterior and middle scalene muscles)을 지배한다[그림 4-4].

- 경추 5번-흉추 1번 신경에 의해 형성된 신경총 이다. 이는 첫번째 늑골 아래를 지나서 액와부(axilla)로 주행한다[그림 4-5].
- Root, trunk, divisions, cords, branches로 구성되어 있으며 간단하게 그리면 [그림 4-6]와 같다. 암기하는 방법은 근위 부터 Robert (roots) Taylor (trunks) Drinks (divisions) Cold (cords) Beer (branches) 이다.
- 가장 중요한 5개의 신경은 요골 신경(radial nerve), 정중신경(median nerve), 척골 신경(unlar nerve), 근피신경(musculocutaneous nerve) 그리고 액와신경(axillary nerve)이다.

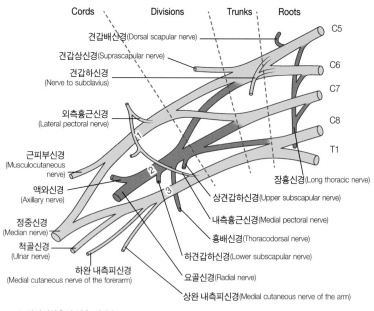

1. 상완신경총의 외측 신경속(Lateral cord)
2. 상완신경총의 후신경속(Posterior cord)
3. 상와신경총의 내측 신경속(Medial cord)

그림 4-5A. 상완 신경총 및 해부학적 위치

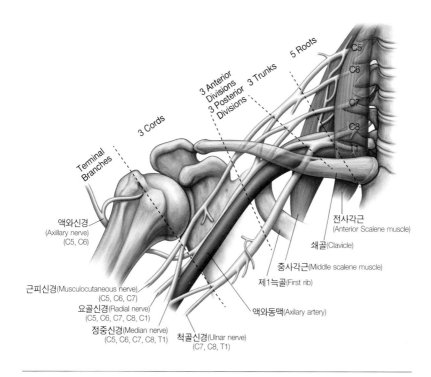

5 Roots

C5
C6
C7
C8

3 Anterior Divisions
3 Posterior Divisions

3 Trunks

3 Cords

Terminal Branches

액와신경
(Axillary nerve)
(C5, C6)

근피신경(Musculocutaneous nerve)
(C5, C6, C7)
요골신경(Radial nerve)
(C5, C6, C7, C8, C1)
정중신경(Median nerve)
(C5, C6, C7, C8, T1)
척골신경(Ulnar nerve)
(C7, C8, T1)

전사각근
(Anterior Scalene muscle)
쇄골(Clavicle)
중사각근(Middle scalene muscle)
제1늑골(First rib)
액와동맥(Axilary artery)

그림 4-5B. 상완 신경총 및 해부학적 위치

• 특히 엄지 손가락(thumb finger)의 기능이 복잡한데 요골 신경은 엄지
의 외전(abduction) 척골 신경은 엄지의 내전(adduction) 그리고 정중
신경은 엄지의 대립(opposition) 운동에 관여한다.

I 신경병증

• 'Saturday night palsy'로 잘 알려진 요골신경병증(radial neuropa-
thy)는 수근 하수(wrist drop)가, 정중신경병증(median neuropathy)
는 주먹을 쥐라고 하면 Preacher's hand (orator's hand) 그리고 척골
신경병증(unlar neruoapthy)은 ulnar claw의 특징적인 손 모양을 보

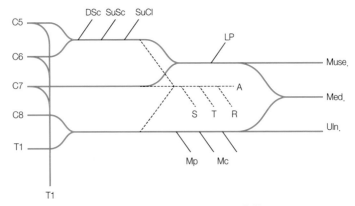

DSc=dorsal scapular nerve(견갑배신경); SuSc=suprascapular nerve(견갑상신경); SuCl=nerve to subclavius(견갑하신경); LP=lateral pectoral nerve(외측흉근신경); A=axillary nerve(액와신경); R=radial nerve(요골신경); T=thoracodorsal nerve(흉배신경); S=subscapular nerve(견갑상신경); MP=medial pectoral nerve(내측흉근신경); MC,A=medial cutaneous nerve of arm(상완 내측 피신경); MC,F=medial cutaneous nerve of forearm(하완 내측피신경); Musc.=musculocutaneous nerve(근피부신경); Med.=median nerve(정중신경); Uln.=ulnar nerve(척골신경).

그림 4-6. 상완 신경총의 간략한 모식도

인다[그림 4-7]. 정중신경과 척골 신경병증이 오래 되면 무지구(thenar) 와 소지구(hypothenar)의 위축이 일어나고 엄지의 대립 운동이 되지 않아서 simian hand (monkey's paw)를 보인다.

6절 교감신경절

- 척추 옆 신경절(paravertebral ganglion)은 척추의 양쪽에 위치에 있고 일반적으로 경추 3, 흉추 11, 요추 4, 천추 4 그리고 미추 1개로 23개의 신경절이 있다[그림 4-8A]. 교감신경간(sympathetic trunk)은 신경절과 신경절을 상행 또는 하행하는 섬유로 구성되어 있다. 교감 신경간은 전 척추에 걸쳐서 척추 전, 외측에 위치한다[그림 4-1A, 8B, 8C, 8D].

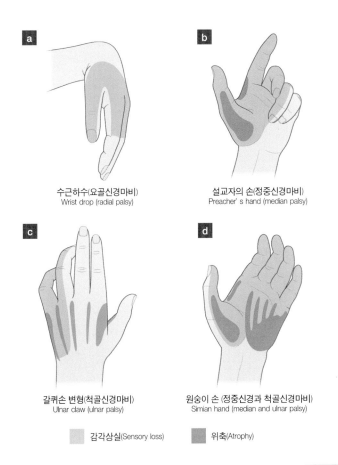

수근하수(요골신경마비)
Wrist drop (radial palsy)

설교자의 손(정중신경마비)
Preacher' s hand (median palsy)

갈퀴손 변형(척골신경마비)
Ulnar claw (ulnar palsy)

원숭이 손 (정중신경과 척골신경마비)
Simian hand (median and ulnar palsy)

감각상실(Sensory loss)   위축(Atrophy)

그림 4-7. 신경병증의 발생시 손의 특징적인 모양.
a. wrist drop은 손목 신전근의 위약으로 발생한다. **b.** Preacher's hand 는 소지구근과 1,2 손
가락의 심지굴근(flexor digitorum profundus) 의 위약으로 주먹을 쥘 때 1,2 손가락이 굽혀
지지 않아서 설교를 할 때 또는 연설을 할 때의 손 자세와 비슷하게 보여서 이와 같은 이름이
붙었다. **c.** Ulnar claw 는 4,5 손가각의 충양근(lumbricales) 의 위약으로 생긴다. **d.** Simian's
hand정중신경과 척골 신경의 병변으로 무지구와 소지구의 위축이 생기고 엄지 손가락의 대
립 운동의 장애로 유인원의 손처럼 보인다고 하여서 이와 같이 이름을 붙였다.

흉추 1–요추 2/3 에서 교감신경절 이전 섬유가 기시하며 교감신경절 이
후 신경은 경추–천추까지 위치한다[그림 4–8A, B, C, D].

- 경추에는 세 개의 교감신경절이 있으며 이중 가장 큰 상경신경절(superior cervical ganglion)에서 기시하는 신경절 이후 섬유는 뇌신경을 경유해서 동공 확장, 눈꺼풀 올림, 얼굴의 혈관, 땀샘에 분포하며, 수술 시 손상이 되면 호너 증후군(Hornor's syndrome)이 발생한다 [그림 4-8D]. 이외에 중경, 하경 신경절이 위치한다.
- 분절에서 나온 교감 신경절 이전 섬유는 백색 교통가지를 통해 교감 신경절로 주행 이후 3가지 시냅스가 이루어 진다 [그림 4-8E].
  – 분절의 교감신경절에서 시냅스 이후 회색 교통가지를 통해 교감신경절 이후 섬유가 된다.
  – 교감신경간을 통해서 상, 하의 교감신경절에서 시냅스 이후 교감신경절 이후 섬유가 된다.
  – 척추 옆 교감신경절을 시냅스 하지 않고 통과하여 측부신경절(collateral ganglion)에서 시냅스 하여 내장신경(Splanchnic nerve)을 형성한다. 이는 복강의 혈관, 내장의 평활근, 심장, 분비선 등에 분포한다.
- 제 2 천수에서 제 4 천수에는 부교감신경절이전섬유(parasympathetic preganglionic fiber)가 있으며 전근을 통해서 나와서 골반내장신경섬유(pelvic splanchnic nerve)를 형성하여 골반신경절(pelvic ganglion)의 신경절 이후 신경으로 이어진다.

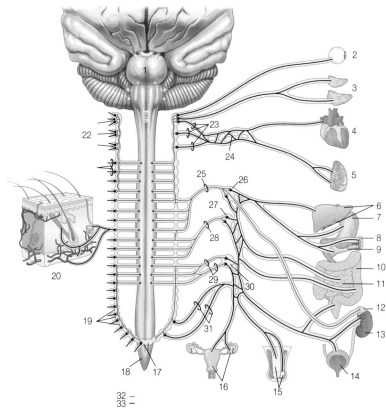

1. 교뇌(Pons)
2. 눈(Eye)
3. 침샘(Salivary glands)
4. 심장(Heart)
5. 폐(Lung)
6. 간과 담낭(Liver and gallbladder)
7. 위(Stomach)
8. 비장(Spleen)
9. 췌장(Pancreas)
10. 대장(Large intestine)
11. 소장(Small intestine)
12. 부신속질(Suprarenal medula)
13. 콩팥(Kidney)
14. 방광(Urinary bladder)
15. 음경, 음낭(Penis, scrotum)
16. 난소, 자궁(Ovary, uterus)
17. 미골신경절(Coccygeal ganglia)
18. 척수(Spinal cord)

19. 교감신경절(Sympathetic chain ganglia)
20. 척수신경절이후 섬유(피부, 혈관, 땀샘…에 분포)
    (Postganglionic fibers to spinal nerve (innervating skin, blood vessel, sweat gland,.)
21. 척수신경의 회색가지(Gray rami to spinal nerves)
22. 경교감신경절 (위, 중간, 아래)(Cervical sympathetic ganglia (sup, Middle, Inf,))
23. 교감신경(Sympathetic nerve)
24. 심장과 폐 신경얼기(Cardiac and pulmonary plexus)
25. 대내장신경(Greater splanchnic nerve)
26. 복강신경절(Celiac ganglion)
27. 상장간막 신경절(Superior mesenteric ganglion)
28. 소내장신경(Lesser splanchnic nerve)
29. 요내장신경(Lumbar splanchnic nerves)
30. 하장간막동맥신경절(Inferior mesenteric ganglion)
31. 천골내장신경(Sacral splanchnic nerver)
32. 신경절이전신경(Preganglionic neurons)
33. 신경절신경세포(Ganglionic neurons)

그림 4-8A. 자율신경계. 교감 신경절이후섬유의 해부학적 분포

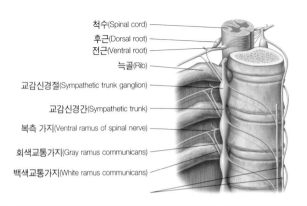

- 척수(Spinal cord)
- 후근(Dorsal root)
- 전근(Ventral root)
- 늑골(Rib)
- 교감신경절(Sympathetic trunk ganglion)
- 교감신경간(Sympathetic trunk)
- 복측 가지(Ventral ramus of spinal nerve)
- 회색교통가지(Gray ramus communicans)
- 백색교통가지(White ramus communicans)

그림 4-8B. 흉추교감신경절

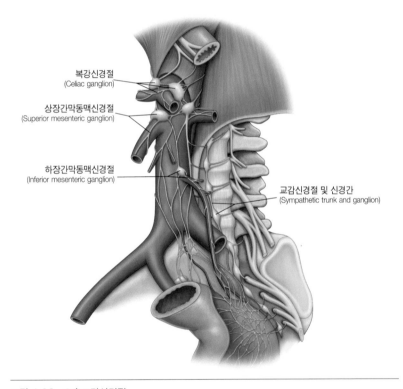

- 복강신경절 (Celiac ganglion)
- 상장간막동맥신경절 (Superior mesenteric ganglion)
- 하장간막동맥신경절 (Inferior mesenteric ganglion)
- 교감신경절 및 신경간 (Sympathetic trunk and ganglion)

그림 4-8C. 요추교감신경절

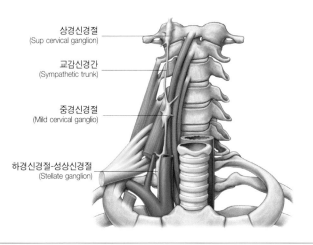

상경신경절
(Sup cervical ganglion)

교감신경간
(Sympathetic trunk)

중경신경절
(Mild cervical ganglio)

하경신경절-성상신경절
(Stellate ganglion)

그림 4-8D. 경추교감신경절

7절 요천골신경총(lumbosacral plexus)

I 요신경총(lumbar plexus)

- 요수 1-4 신경들과 흉수 12번 신경들이 모여서 형성된 얽기이며 요천골
  신경총(lumbosacral plexus)의 일부를 구성한다.
- 척추체간 신경공에서 나온 흉, 요신경들은 주로 요근(psoas muscle)을
  통과하며 서혜인대(inguinal ligament) 아래로 통과하여 골반 밖으로
  주행하며 일부 잔가지들이 요근에 분포를 한다. 이후 요추 신경총의 신
  경들은 고관절의 앞쪽으로 주행하며 주로 허벅지 앞의 근육 및 피부에
  분포한다.
- 폐쇄신경(obturator nerve)은 폐쇄관(obturator canal)을 통해서 골
  반 외측으로 주행한다[그림 4-9].

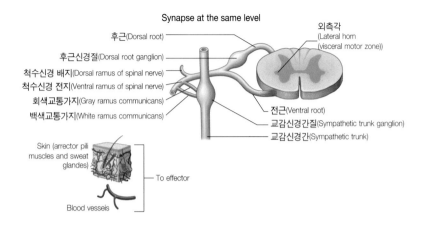

Synapse at the same level

후근(Dorsal root)
후근신경절(Dorsal root ganglion)
척수신경 배지(Dorsal ramus of spinal nerve)
척수신경 전지(Ventral ramus of spinal nerve)
회색교통가지(Gray ramus communicans)
백색교통가지(White ramus communicans)

외측각
(Lateral horn
(visceral motor zone))

전근(Ventral root)
교감신경간절(Sympathetic trunk ganglion)
교감신경간(Sympathetic trunk)

Skin (arrector pili
muscles and sweat
glandes)

To effector

Blood vesseis

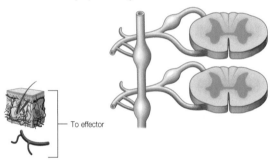

Synapse at a higher or lower level

To effector

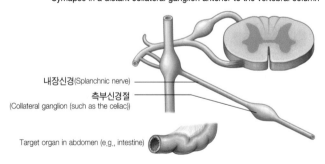

Symapse in a distant collateral ganglion anterior to the vertebral column

내장신경(Splanchnic nerve)
측부신경절
(Collateral ganglion (such as the celiac))

Target organ in abdomen (e.g., intestine)

그림 4-8E. 교감 신경의 주행

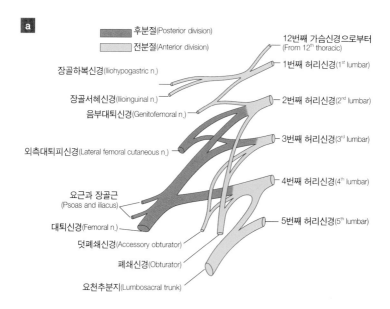

a

후분절(Posterior division)
전분절(Anterior division)

12번째 가슴신경으로부터
(From 12th thoracic)

장골하복신경(Iliohypogastric n.)

1번째 허리신경(1st lumbar)

장골서혜신경(Ilioinguinal n.)
음부대퇴신경(Genitofemoral n.)

2번째 허리신경(2nd lumbar)

외측대퇴피신경(Lateral femoral cutaneous n.)

3번째 허리신경(3rd lumbar)

4번째 허리신경(4th lumbar)

요근과 장골근
(Psoas and iliacus)

대퇴신경(Femoral n.)

5번째 허리신경(5th lumbar)

덧폐쇄신경(Accessory obturator)
폐쇄신경(Obturator)
요천추분지(Lumbosacral trunk)

b

허리신경총(Lumbar plexus insitu)

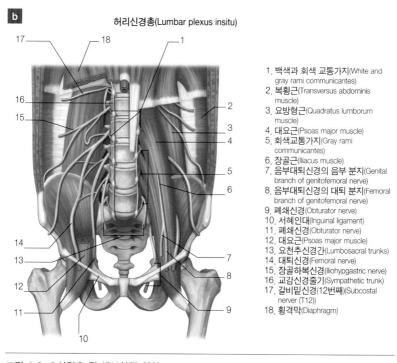

1. 백색과 회색 교통가지(White and gray rami communicantes)
2. 복횡근(Transversus abdominis muscle)
3. 요방형근(Quadratus lumborum muscle)
4. 대요근(Psoas major muscle)
5. 회색교통가지(Gray rami communicantes)
6. 장골근(Iliacus muscle)
7. 음부대퇴신경의 음부 분지(Genital branch of genitofemoral nerve)
8. 음부대퇴신경의 대퇴 분지(Femoral branch of genitofemoral nerve)
9. 폐쇄신경(Obturator nerve)
10. 서혜인대(Inguinal ligament)
11. 폐쇄신경(Obturator nerve)
12. 대요근(Psoas major muscle)
13. 요천추신경간(Lumbosacral trunks)
14. 대퇴신경(Femoral nerve)
15. 장골하복신경(Iliohypgastric nerve)
16. 교감신경줄기(Sympathetic trunk)
17. 갈비밑신경(12번째)(Subcostal nerver (T12))
18. 횡격막(Diaphragm)

그림 4-9. 요신경총 및 해부학적 위치

1. 요신경총의 가지들

1) 장골하복신경(Iliohypogastric nerve): 요근 앞으로 주행하여 요방형근 (quadratus lumborum) 앞을 비스듬히 지나서 복횡근(transverse abdominis)을 통과하고 장골능(iliac crest) 위를 복횡근과 내복사근 (abdominal internal oblique muscle) 사이로 주행한다. 상기 근육들 에 분지를 내고 고관절 외측으로 감각 분지를 낸다. 종말 분지는 외복 사근(abdominal external oblique muscle)과 평행하게 주행 하다가 외측 서혜륜(external inguinal ring)으로 나와서 서혜인대(inguinal ligament) 상부의 피부에 분포한다.

2) 장골서혜신경(Ilioinguinal nerve): 장골 하복 신경과 비슷하게 요방형 근 위로 주행 하다가 복횡근에 가지를 내고 외측 서혜륜으로 나와서 치 골 부위, 대음순, 고환 부위로 감각 신경을 분지한다.

3) 음부대퇴신경(Genitofemoral nerve): 장골 하복 신경 및 장골서혜신 경 아래에서 요근 앞으로 주행하며 대퇴 가지(femoral branch)와 음부 가지(genital branch)를 낸다. 대퇴 가지는 감각 신경으로 서혜인대 아 래 부분의 피부 감각을 지배한다. 음부 가지는 남자에서는 고환의 감각 및 고환 거근(cremaster muscle)을 지배하며 여성에서는 대음순의 감 각을 담당한다.

4) 외측대퇴경피신경(Lateral femoral cutaneous nerve): 요근을 외측 에서 관통하여 아래로 주행하여 전상장골극(anterior superior iliac spine)의 내측에서 서혜 인대 외측 아래로 주행하여 골반 밖으로 나온 다. 허벅지 전, 외측 감각을 담당한다.

5) 폐쇄신경(Obturator nerve): 요근 내측으로 주행하여 골반 분계선 (linea terminalis pelvis)를 따라서 주행하여 폐쇄관(obturator ca- nal) 을 통해서 골반을 빠져 나간다. 이후 대퇴 내전근을 지배한다. 담 당하는 근육들은 다음과 같다; 치골근(pectineus), 장 내정근(adduc- tor longus), 단내전근(adductor brevis), 대내전근(adductor mag-

nus), 소내전근(adductor minimus), 그리고 치골경골근(gracilis). 감
각 신경은 대퇴의 내측, 아래 부위의 감각을 담당한다.

6) 대퇴신경(Femoral nerve): 요추 신경총에서 가장 크고 긴 신경이다. 요
근과 장골근(iliacus m.)을 따라서 주행하면서 이들 근육에 가지를 내
고 muscular lacuna 의 내측으로 주행하면서 골반 밖으로 나간다. 이
후 다양한 근육과 감각 신경 및 복재신경(saphenous nerve)를 내면서
운동, 감각을 담당한다. 지배 근육들은 장요근(iliopsoas), 치공근
(pectineus), 봉공근(sartorius), and 대퇴사두근(quadriceps femoris) 들이며 허벅지 앞, 하지 후방 및 발의 후방 감각을 담당한다.

7) 요천골신경간(lumbosacral trunk): 요추 4번 신경의 복측 가지(ventral ramus)와 요추 5번 신경에 의해 형성되어서 요근 내측으로 나와
아래로 주행하여 천추 1번 신경과 합쳐져서 천골신경총(sacral plexus)
과 연결된다.

Ⅱ 천골신경총(Sacral plexus)

- 요추 4번 신경 일부 그리고 요추 5-천추 4번 신경에 의해 형성이 된다.

1. 천골신경총의 가지들

1) 상둔신경(superior gluteal nerve), 하둔신경(inferior gluteal nerve),
후대퇴피신경(posterior femoral cutaneous nerve), 좌골신경(sciatic
nerve) 및 음부 신경(pudendal nerve) 분지를 낸다. 대퇴 후방, 무릎 하
방 및 발의 운동, 감각을 담담하며 골반에도 일부 운동, 감각을 담당한다.

2) 가장 큰 좌골 신경(Sciatic nerve)은 요천추신경간(lumbosacral
trunk), 천추 1번 신경의 복측 분지(ventral division) 그리고 천추 2,
3번 신경의 복측 분지의 일부에 의해 형성이 된다. 골반에서 대좌골공
(greater sciatic foramen)을 통해서 빠져 나가며 이상근(piriformis

muscle)과 골반의 근막 사이에 위치한다. 이후 경골신경(tibial nerve)
과 총비골신경(common peroneal nerve)로 나뉘며 총비골신경은 천비
골신경(superficial peroneal nerve)와 심비골신경(deep peroneal
nerve)으로 나뉜다[그림 4–10].

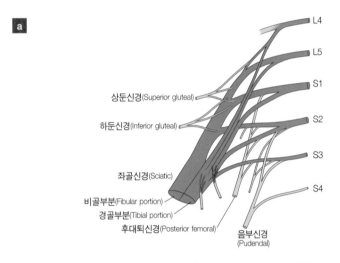

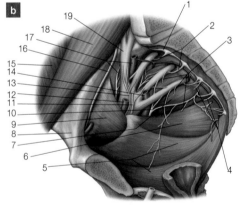

1. 교감신경줄기(Sympathetic trunk)
2. 회색교통가지(Gray rami communicantes)
3. 골반내장신경 (골반신경얼기 로의 부
   교감신경)(Pelvic splanchnic
   nerves(parasympathetic to pelvic plexus))
4. 천골내장신경 (골반신경얼기 로의 교
   감신경)(Sacral splanchnic
   nerves(sympathetic to pelvic plexus))
5. 항문거근(Levator ani muscle)
6. 미추근(Coccygeal muscle)
7. 이상근(Piriformis muscle)
8. 상치골가지(Superior pubic ramus)
9. 속폐쇄근(Obturator internus muscle)
10. 음부신경(Pudendal nerve)
11. 속폐쇄근신경(Nerve to obturator
    internus muscle)
12. 하둔동맥(Internal pudendal artery)
13. 대퇴방형근신경(Nerve to quadratus
    femoris muscle)
14. 하둔동맥(Inferior gluteal artery)
15. 장골근(Iliacus muscle)
16. 폐쇄신경(Obturator nerve)
17. 상둔동맥과 신경(Superior gluteal artery
    and nerve)
18. 대요리근(Psoas major muscle)
19. 요천추신경간(Lumbosacral trunk)

그림 4-10. 천골 신경총과 해부학적 위치

3) 음부신경총(pudendal plexus)는 천추 2-4 신경에 의해서 형성이 되며 회음부, 성기, 항문 주변 감각신경을 그리고 골반의 근육들, 요도 괄약근, 항문 괄약근에 분지를 낸다.

4) 미골신경총(coccygeal plexus)는 천추 5 신경 및 미추 1번 신경에 의해 형성이 되고 미골근(coccygeus muscle)을 지배하고 미골(coccyx)의 피부 감각을 담당하는 항문 미골신경(anococcygeal nerve)를 분지한다.

5) 하지의 감각과 운동을 담당하는 5개의 중요한 신경은 대퇴신경(femoral nerve), 폐쇄신경(obturator nerve), 좌골신경(sciatic nerve), 경골신경(tibial nerve), 천비골신경(superficial femoral nerve) 및 심비골신경(deep femoral nerve) 이다.

참고문헌

1. 이원택, 박경아: 의학신경해부학, ed, 고려의학, pp. 49-57,
2. Middleditch A, Oliver J (2006) Functional anatomy of the spine Elsevier
3. 이원택, 박경아: 의학신경해부학, ed, 고려의학, pp. 229-294,
4. Blumenfeld H: Neuroanatomy through clinical cases ed, Saunders pp. 303-336, 2002
5. Blumenfeld H: Neuroanatomy through clinical cases ed, Saunders pp. 340-363, 2002
6. Gilroy AM, B.R. M, Ross L, M, (2006) Neurovascular Thieme
7. Hwang JC, Bae HG, Cho SW, Cho SJ, Park HK, Chang JC (2010) Morphometric study of the nerve roots around the lateral mass for posterior foraminotomy. Journal of Korean Neurosurgical Society 47:358-364. doi: 10.3340/jkns.2010.47.5.358
8. Moro T, Kikuchi S, Konno S, Yaginuma H (2003) An anatomic study of the lumbar plexus with respect to retroperitoneal endoscopic surgery. Spine 28:423-428; discussion 427-428. doi: 10.1097/01.BRS.0000049226.87064.3B

척수의 내부구조

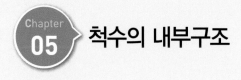

척수의 내부구조

○ 장호열, 이상훈

중추신경계인 척수는 뇌와 마찬가지로 회색질(gray matter)과 백색질(white matter)로 구성되어있다. 척수 내부를 가로단면상으로 볼 때 회색질과 백색질은 비교적 뚜렷하게 구분되며, 회색질은 척수 내부에서 대칭형의 나비모양(혹은 H모양)을 하고 있으며 주로 신경세포체(neural cell body and dendraites)로 이루어져 있으며, 회색질 주변 가장자리에 위치한 백색질은 신경세포체의 돌기인 신경섬유(axon 축삭)로 이루어져 있다. 척수의 중앙, 즉 회색질의 중심에는 중심관(central canal)이 있다[그림 5-1].

1절 기둥구조(Coulumn)[그림 5-1]

척수의 회색질을 구성하는 신경세포체와 백색질을 구성하는 신경섬유의 배열은 척수의 길이 방향에 따라서 수직으로 주행하여 기둥과 같은 구조를

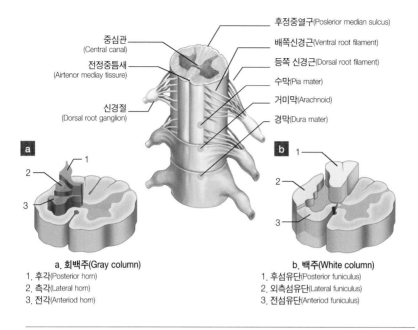

중심관
(Central canal)

전정중틈새
(Airtenor mediay tissue)

신경절
(Dorsal root ganglion)

후정중열구(Poslerior median sulcus)

배쪽신경근(Ventral root filament)

등쪽 신경근(Dorsal root filament)

수막(Pia mater)

거미막(Arachnoid)

경막(Dura mater)

a

2

3

1

b

1

2

3

a. 회백주(Gray column)
1. 후각(Posterior horn)
2. 측각(Lateral horn)
3. 전각(Anteriod horn)

b. 백주(White column)
1. 후섬유단(Posterior funiculus)
2. 외측섬유단(Lateral funiculus)
3. 전섬유단(Anteriod funiculus)

그림 5-1. 척수의 기둥구조.
a. 회백주(Gray column): 세로 방향으로 주행하는 신경세포체 및 신경섬유가 아교세포에 의해서 기둥구조를 형성하며, 절단면상 전각(Anterior horn), 측각(Lateral horn), 후각(Posterior horn)으로 구분된다. **b.** 백주(White column): 주로 신경섬유로 구성되며 세로방향으로 주행하는 기둥구조를 형성하며, 전섬유단(Anterior fasciculus), 외측섬유단(Lateral fasciculus), 후섬유단(Posterior fasciculus)으로 구분된다.

하고 있으며 이를 각각 회백주(gray column, 회색기둥)와 백주(white column, 백색기둥)라고 한다. 이러한 기둥 구조는 신경 세포주변 신경아교세포 (glial cell, neuroglia)에 의해서 지지된다.

I 회백주(gray column)와 백주(white column)

회백주(gray column)는 가로단면상 전각(anterior horn) 과 후각(posterior horn) 그리고 전각과 후각 이어주는 외측각(lateral horn, intermediate gray 중간회색질)로 크게 나누어 볼 수 있다[그림 5-1-a]. 전각은 주로 운동 신경원(motor neuron)으로 구성되어 있으며 후각은 주로 감각 신경원으로 구성되어 있다. 외측각의 경우 교감/비교감(sympathetic/parasympathetic visceromotor neuron) 신경원을 포함하고 있다. 회백주 단면상을 현미경으로 관찰할 때, 세포구성 및 구조와 기능에 따라서 10개의 층(I~X)으로 구분되며 이것을 렉시드판 구조(Lexed lamination)라고 한다.

백주(white column, 백색기둥)는 머리-꼬리 종축을 따라서 주행하는 신경섬유로 이루어져있으며 이중 큰 것은 섬유단(funiculus) 이라고 하며, 작은 것은 섬유속(fasciculus)이라고 한다. 크게 전섬유단(anterior funiculus, 전백색질기둥 anterior white column), 외측섬유단(lateral funiculus, 외측백색질기둥, lateral white column), 후섬유단(posterior funiculus, 후백색질기둥 posterior white column) 세부분으로 나누어 볼 수 있다[그림 5-1-b]. 각각의 섬유단은 주요한 척수 신경로를 포함하고 있다. (6장 척수신경로 참고)

이러한 척수의 기둥 구조에서 가로단면상은 어느 부분에서나 비슷한 배열을 이루고 있으나 각각의 척수 분절에 따라서 척수 전체의 형태와 크기, 회색질과 백색절의 양, 전각과 후각의 크기에서 다소 차이를 보인다.

Ⅱ 경수부(Cervical segment)

경수부는 가장 굵고, 상대적으로 많은 백색질을 포함하고 있으며 단면상으로 가로직경이 앞뒤직경 보다 큰 타원모양(Oval shape)을 하고 있다. 상부 경수(C1-2번)에서는 회색질의 경우 후각(posterior horn)은 넓으나 전각(anterior horn)은 비교적 작다. 그리고 하부 경수 즉, 경수 5번(C5 - C8) 이하로는 상완신경총(brachial plexus)과 연관되어 있으며 후각이 넓으며 전각도 외측섬유단(lateral funiculus)까지 확장되어 있다. 후각의 목부위(neck of posterior horn)에는 모든 경수부에서 관찰할 수 있는 망상체

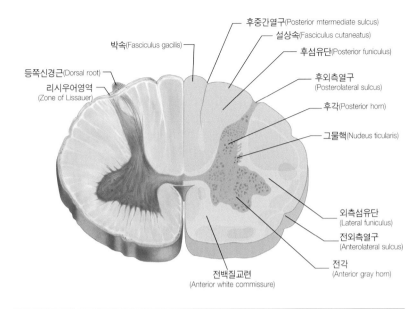

그림 5-2A. 경수부(Cervical segment)
경수부는 가장 굵고, 상대적으로 많은 백색질을 포함하고 있으며, 단면상으로 가로직경이 앞뒤직경 보다 큰 타원 모양(Oval shape)을 하고 있다.

(Reticular process 혹은 Reticular nucleus 망상핵)가 있다[그림 5-2A]. 경수부의 가로 직경은 대체로 12mm 정도이며, 경수 8번의 경우는 13-14mm 이다.

III 흉수부(Thoracic segment)

흉수부는 경요수부에 비해서 전각과 후각이 작으므로 전체 직경도 작다. 그러나 첫 번째 흉수는 경수부 팽대의 연장선상으로 상완신경총과 연관하여 전각과 후각이 크다. 흉수부는 부위에 따라서 변이가 많다. 흉수 1번에서 흉수6번(T1-T6)까지에서는 설상속(fasciculus cuneatus, 쐐기다발)과 내측의 박속(fasciculus gracilis, 얇은다발)이 둘 다 관찰 되나, 흉수 6번 아래로

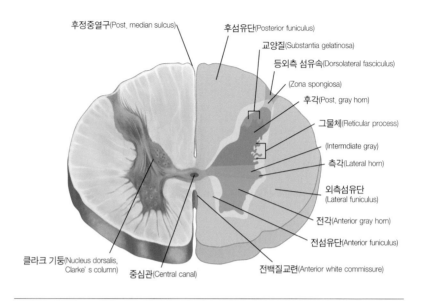

후정중열구(Post. median sulcus)
후섬유단(Posterior funiculus)
교양질(Substantia gelatinosa)
등외측 섬유속(Dorsolateral fasciculus)
(Zona spongiosa)
후각(Post. gray horn)
그물체(Reticular process)
(Intermdiate gray)
측각(Lateral horn)
외측섬유단
(Lateral funiculus)
전각(Anterior gray horn)
전섬유단(Anterior funiculus)
클라크 기둥(Nucleus dorsalis, Clarke's column)
중심관(Central canal)
전백질교련(Anterior white commissure)

그림 5-2B. 흉수부(Thoracic segment)
흉수부는 경요수부에 비해서 전각과 후각이 작으므로 전체 직경도 작다.

는 박속만 관찰된다. 모든 흉수에서는 작지만 돌출된 외측각을 관찰할 수 있는데, 여기에는 교감 신경의 전신경절 섬유(Preganglionic sympathetic fiber)를 포함한 내외측세포주(intermediolateral cell colum)가 존재한다. 후각의 중간 부분에는 둥근 모양으로 클라크주의 배측핵(dorsal nucleus of Clark' column)을 볼 수 있다. 이것은 10번 흉수(T10)에서 12번 흉수(T12)까지 잘 발달되어 있다[그림 5-2B].

Ⅳ 요수부(Lumbar segment)

요수부는 단면상이 다른 부위에 비해서 둥근 모양이다. 경수와 비교해서 백색질이 절대적으로 작으며, 단면상 회색질이 차지하는 비율이 백색질이 차지하는 비율에 비해서 넓다. 3번 요수(L3)에서 5번 요추(L5)까지는 잘 발달

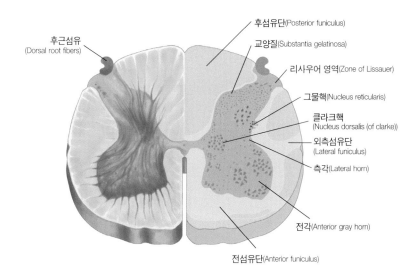

후근섬유
(Dorsal root fibers)

후섬유단(Posterior funiculus)

교양질(Substantia gelatinosa)

리사우어 영역(Zone of Lissauer)

그물핵(Nucleus reticularis)

클라크핵
(Nucleus dorsalis (of clarke))

외측섬유단
(Lateral funiculus)

측각(Lateral horn)

전각(Anterior gray horn)

전섬유단(Anterior funiculus)

그림 5-2C. 요수부(Lumbar segment)
요수부는 다른 부위에 비해서 둥근 모양이며 경수와 비교해서 백색질이 절대적으로 작으나,
상대적으로 단면상 회색질이 차지하는 비율이 백색질이 차지하는 비율에 비해서 넓다.

된 전각이 외측섬유단으로 큰돌기를 내는데 이것은 하지 운동과 관련된 운동신경원들이 모여있으며 주로 요수 팽대를 형성한다. 1-2번 요수(L1-2)에서는 흉수부의 연장선으로 클라크주가 잘 발달되어 있는 것을 볼 수 있다[그림 5-2C]. 해부학적으로 흉수부와 요수부의 이행부위를 명확하게 구분하기는 어렵다.

V 천수부(Sacral segment)

단면적이 작고 길이는 짧으며, 회색질이 대부분을 차지한다. 다른 부위에 비해서 교양질(substantia gelatinosa)이 발달되어 있다. 따라서 전각에 비해서 후각이 더 발달되어 있다. 미수부(Coccygeal segment)는 가장 작고 짧은 부위이며 천수부와 비슷한 구조이다.

Ⅵ 경요수팽대(Cervical and Lumbar enlargement)

일반적으로 백색질의 절대량은 상부로 갈수록 증가하고 회색질은 그 부위의 신경원이 지배하는 영역이 복잡하고 넓을수록 커진다. 따라서 팔과 다리의 근육을 지배하는 경수와 요수에서의 회색질은 다른 부분에 비해 매우 크며 이를 경수팽대(Cervical enlargement), 요수팽대(Lumbar enlargement)라고 한다. 경수부 팽대는 아래쪽 네개의 경수분절(C4~8)과 첫번째 흉수분절(T1)로 이루어지며 여기로부터 상완신경총(brachial plexus)이 형성된다. 요수 팽대는 요수 신경총(lumbar plexus, L1~L4)과 천수신경총(sacral plexus, L4~S2)을 형성한다. 경요수팽대부의 회색질에서는 전각의 외측이 크게 돌출되어 있으나 비팽대부에서는 전각의 외측이 돌출되어 있지 않다. 후각의 경우도 팽대부에서는 두껍고 짧게 보이지만 비팽대부에서는 얇고 길게 나타난다. 반면에 동체를 지배하는 흉수나 경수 비팽대부의 회색질은 경요수팽대부에 비해서 적다.

가로 주행

척수의 기둥 구조에서 대부분의 신경섬유는 세로로 주행하지만 후근과 전근에서 척수로 들어오거나 나가는 신경섬유의 방향은 가로 방향으로 배열되며, 반대편으로 교차하는 척수시상로나 전척수소뇌로의 경우에도 가로 방향으로 배열되어 있다.

Ⅶ 체성국소배열(Somatotopical arrangement)

척수의 기둥구조는 신경세포체와 신경섬유는 체성국소배열(somatotopical arrangement)을 이루고 있다. 즉 기둥을 이루는 구조의 가로절단면에서 일정한 신경로 또는 세포군은 그것이 지배하는 영역의 부위에 따라 일정한 배열로 연관되어 위치하여 주행한다. 백색질의 경우 예를 들면, 후섬유단

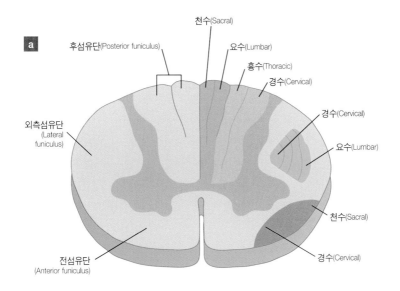

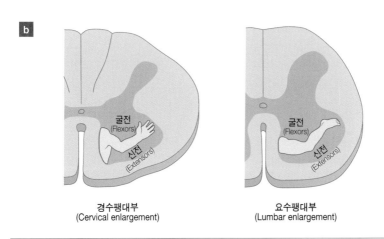

경수팽대부
(Cervical enlargement)

요수팽대부
(Lumbar enlargement)

그림 5-3. 체성국소배열(Somatotopical arrangement)

a. 백색질에서 몸의 가장 아래쪽 피부분절(dermatome)을 지배하는 신경섬유는 가장 내측에서 위치, 몸의 위쪽 피부분절로 갈수록 신경섬유는 더 외측으로 위치하여 주행한다. **b.** 회색질의 전각세포(anterior horn cell)의 경우 외측에 있는 세포는 원위부의 근육을, 내측에 있는 세포는 근위부의 근육을 지배하며, 굴근은 더 중심부에서 신근은 더 바깥쪽에서 지배하는 일정한 배열의 대응구조를 하고 있다.

(posterior funiculus)의 주행을 가로단면으로 볼 때 몸의 가장 아래쪽 피부분절(dermatome)을 지배하는 신경섬유는 가장 내측에서 위치하여 주행하고, 몸의 위쪽 피부분절로 갈수록 신경섬유는 더 외측으로 위치하여 주행한다[그림 5-3-a]. 회색질의 전각세포(anterior horn cell)의 경우 외측에 있는 세포는 원위부의 근육을 지배하고 내측에 있는 세포는 근위부의 근육을 지배하며, 굴근은 더 중심부에서 신근은 더 바깥쪽에서 지배하는 일정한 대응구조를 하고 있다[그림 5-3-b].

2절 단면구조-백색질과 회색질

백색질(white matter)

백색질은 신경세포체의 돌기, 즉 축삭(axon)이 종축으로 모여서 다발을 이루고 있는 구조로서 대부분의 축삭이 수초(myelin)에 의해 싸여 있기 때문에 백색을 띤다. 백색질은 가로단면상 몇 개의 섬유단(funiculus), 혹은 섬유속(fasciculus)으로 나눌 수 있으며 각각의 섬유단은 여러 신경로(spinal tracts)를 포함하고 있다.

1. 전섬유단(anterior funiculus)

전정중틈새(anterior median fissure)에서 양쪽의 전외측열구(anterolateral sulcus)까지 그 사이의 백색질을 전섬유단(anterior funiculus, 전백색질기둥 anterior white column) 이라고 하며 주로 운동 기능의 전달을 담당하며, 배쪽피질척수로(anterior corticospinal tract), 내측세로다발(medial longitudinal fasciculus, MLF), 그물척수로(reticulospinal tract), 전정척수로(vestibulospinal tract) 등의 신경로가 있다[그림 5-4].

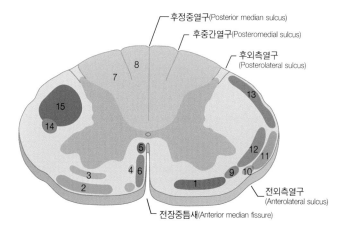

- 전섬유단(Anterior fasciculus)
  1. 전척수시상로(Anterior spinothalamic tract)
  2. 전정척수로(Vestibulospinal tract)
  3. 수뇌그물척수로(Medullary reiculospinal tract)
  4. 교뇌그물척수로(Pontine reticulospinal tract)
  5. 내측세로다발(Medial longitudinal fasciculus)
  6. 전피질척수로(Anterior corticospinal tract)

- 후섬유단(Posterior fasciculus)
  7. 설상속(Fasciculus cutaneatus)
  8. 박속(Fasciculus gracilis)

- 외측섬유단(Lateral fasciculus)
  9. 덮개척수로(Tactospinal tract)
  10. 척수올리브로(Spinoolivary tract)
  11. 전척수소뇌로(Anterior spinocerebellar tract)
  12. 외측척수시상로(Lateral spinothalamic tract)
  13. 후척수소뇌로(Posterior spinocerebellar tract)
  14. 적색척수로(Rubospinal tract)
  15. 외측피질척수로(Lateral corticospinal tract)

그림 5-4. 각 섬유단(Fasciculus) 내의 척수신경로(tract)의 분포

2. 후섬유단(Posterior funiculus)

후정중열구(posterior median sulcus)에서 양쪽의 후외측열구(postero-latral sulcus)까지 사이는 후섬유단(posterior funiculus, 후백색질기둥 posterior white column)이라고 하며 주로 감각 기능을 전달하는 신경섬유의 다발로 구성되어 있으며, 후섬유단내측섬유띠신경로(posterior white colllmn-medial lemniscal pathway)가 있다. 흉수 중간 이상의 후섬유단은 후중간열구에 의해, 외측의 설상속(fasciculus cuneatus, 쐐기다발)과 내측의 박속(fasciculus gracilis, 얇은다발)로 나누어진다. 외측섬유단 중 등쪽 반은 후외측섬유단(dorsolateral funiculus) 이라고 부른다[그림 5-4].

3. 외측섬유단(lateral funiculus)

후외측열구과 전외측열구 사이의 백색질은 외측섬유단(lateral funicu-lus, 외측백색질기둥, lateral white column)이라고 하며, 척수시상로(spi-nothalamic tract), 외측피칠척수로(lateral corticospinal tract), 적색척수로(rubrospinal tract), 후척수소뇌로와 전척수소뇌로(posterior and anterior spinocerebellar tract), 척수올리브로(spinoolivary tract), 덮개척수로(tectospinal tract), 척수연수시상로(spinomedullothalamic tract), 경수시상로(cervicothalamic tract) 등의 신경로가 있다[그림 5-4].

4. 리사우어 신경로(Lissauer's tract)

후섬유단(posterior funiculus)과 외측섬유단(lateral funiculus)이 이행되는 부위의 후각(posterior horn)의 바깥쪽에서 세로로 배열된 백색질을 리사우어 신경로(Lissauer's tract) 또는 등쪽외측로(dorsolateral tract, 등쪽외측다발 dorsolateral fasciculus)라고 한다. 리사우어 신경로를 통해 들어온 일부 신경섬유는 이 신경로를 통해 한 두 척수분절을 상행 또는 하행한다[그림 5-5]

5. 전, 후백색질 교련(anterior & posterior white commissure)

전섬유단 복측(ventral side) 가운데에는 전정중틈새(anterior median fissure)가 있으며 이에 의해 척수의 복측이 좌우로 나누어진다. 하지만 척수의 중심부에서는 전백색질교련(anterior white commissure)이라는 부위에서 가로로 주행하는 신경섬유에 의해서 양쪽의 척수가 연결된다.

후섬유단의 배측(dorsal side) 가운데에도 후정중열구(dorsomedian sulcus)이 있어서 이에 의해 좌우로 나누어진다. 하지만 후정중열구의 잎쪽 부분, 척수의 중심부분에서는 가로로 주행하는 신경섬유에 의해서 양쪽의 척수가 연결되어 있으며 이 부분을 후백색질교련(posterior white com-missure)이라고 한다.

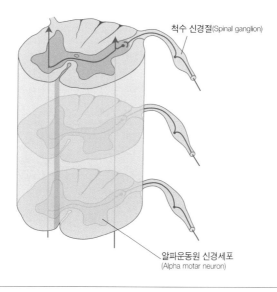

척수 신경절(Spinal ganglion)

알파운동원 신경세포
(Alpha motor neuron)

그림 5-5. 리사우어 신경로(Lissauer's tract)
후섬유단(posterior funiculus)과 외측섬유단(lateral funiculus)이 이행되는 부위의 후각(pos-terior horn)의 바깥쪽에서 세로로 배열된 백색질을 리사우어 신경로(Lissauer's tract)라고 한다. 리사우어 신경로를 통해 들어온 일부 신경섬유는 이 신경로를 통해 한 두 척수분절을 상행 또는 하행한다.

6. 고유다발(fasciculus proprius) [그림 5-6]

백색질내 섬유단(funiculus)은 모든 부분에서는 회색질 주위에 고유다발(fasciculus proprius)이라고 하는 신경섬유의 다발을 형성하고 있다. 이것은 위아래 분절의 척수 신경원들을 이어주고 시냅스(synaps), 분절사이반사(intersegmental reflex)에 중요한 역할을 한다.

고유다발섬유는 척수고유섬유(propriospinal fiber, 척수간섬유 spino-spinal fiber)로 이루어져 있으며 유수신경섬유(myelinated neuron) 뿐만 아니라 무수신경섬유(unmyelinated neuron) 로도 구성되어 있다. 다른 신경다발과 마찬가지로 세로 방향으로 주행하며, 가로 방향으로 곁가지를 내어서 주위의 회색질 신경원과 연결된다. 그래서 고유섬유의 가지들은 기본적으로 T자 모양의 주행구조를 형성한다. 고유섬유는 주행에 따라서 다양한 길

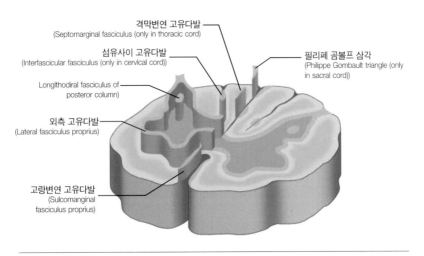

격막변연 고유다발
(Septomarginal fasciculus (only in thoracic cord)

섬유사이 고유다발
(Interfascicular fasciculus (only in cervical cord))

Longlthodiral fasciculus of
posterior column)

외측 고유다발
(Lateral fasciculus proprius)

필리페 곰볼프 삼각
(Philippe Gombault triangle (only
in sacral cord))

고랑변연 고유다발
(Sulcomanginal
fasciculus proprius)

그림 5-6. 고유다발(Fasciculus proprius)
백색질내 섬유단(funiculus)은 모든 부분에서는 회색질 주위에 고유다발(fasciculus proprius)
을 형성하여 위아래 분절의 척수 신경원들을 이어주고(시냅스 synaps), 분절사이반사 (inter-
segmental reflex)에 중요한 역할을 한다.

이로 존재하며, 대체로 짧은 고유섬유가 긴 고유섬유보다 회색질 가까이에
있다. 일부 고유섬유는 척수의 전체의 길이만큼 긴 것도 있다.

Ⅱ 회색질(gray matter)

회색질은 좌우대칭으로 나비 모양(혹은 H자 모양)을 하고 있다. 회색질을
구성하는 많은 신경 세포체는 다양한 염색(Hematoxy and Eosin, thionin
등)시약에 잘 염색되며 백색질에 비해서 더 어두운 색으로 보인다.

1. 각(Horn)

척수의 단면상, 회색질 부위에서 앞쪽으로 돌출된 부분을 전각(anterior
horn), 후외측으로 뻗어 있는 후각(posterior horn), 그리고 그 사이에는
외측각(lateral horn)과 중간회색질(intermediate gray)로 이루어져있다.

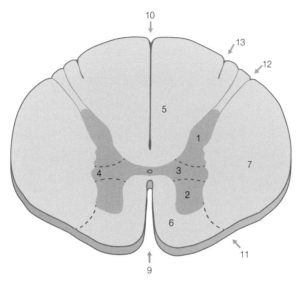

1. 후각(Posterior horn)
2. 전각(anterior horn)
3. 중간구역(Intermediate zone,
   중간회색질 intermediate gray)
4. 외측각(Lateral horn)
5. 후섬유단(Posterior funiculus)
6. 전섬유단(Anterior funiculus)

7. 외측섬유단(Lateral funiculus)
8. 리사우어신경로(Lissauer's tract)
9. 전정중틈새(Anterior median fussure)
10. 후정중열구(Posterior median sulcus)
11. 전외측열구(Anterolateral sulcus)
12. 후외측열구(Posterolateral sulcus)
13. 후중간열구(Posterior intermediate sulcus)

그림 5-7. 회색질(gray matter) 내부구조

좌우 양쪽의 회색질은 중심부위에서 서로 이어져 있으며, 이를 회색질교련 (gray commissure) 이라고 한다. 회색질교련의 중앙에는 중심관(central canal)이 있다. 중심관 복측의 회색질은 전회색질교련(anterior gray commissure)이라 하고 배측의 회색질을 후회색질교련(posterior gray commissure) 이라고 한다[그림 5-7].

2. 세포구축학적 층판구조: 렉시드 층판(Rexed lamination)

척수의 회색질은 신경원들의 여러 세포집단으로 이루어져있다. 척수를 가로방향으로 두껍게 잘라(두께 약 100 μm) 니슬 염색(Nissl stain)을 하여

그림 5-8. 브롤 렉시드(Bror Rexed. 1914-2002)

브롤 렉시드(Bror Rexed. 1914-2002)는 스웨덴의 신경해부학자로 1952년 카롤린스카 연구소의 생리학실험실에서 고양이 척수의 조직절편을 관찰하여 아홉개의 층판으로 분류하였고 세포구축학적인 방법으로 신경층판배열(Rexed lamination 렉시드층판, cytoarchitectonic lamination of Rexed)을 처음 기술하였다. 모든 포유류의 척수신경단면에서 유사한 구조가 관찰된다.

관찰하면 회색질의 세포집단은 가로로 배열된 여러 개의 층판 형태로 나타난다. 이를 렉시드층판(Rexed lamination or cytoarchitectonic lamination of Rexed 세포구축학적 층판구조)이라 하며 모두 열 개의 층판으로 구분된다[그림 5-9-a]. 이러한 척수 회색질의 렉시드층판 구조는 로마 숫자(I~X)로 표기하여 구분한다.

제I층판에서 제VI층판까지는 후각(posterior horn)에 위치하며, 제VII층판은 외측각(lateral horn, intermediate gray 중간회색질) 부위에 위치한다. 제VIII, 제IX층판은 전각(anterior horn)에 있고, 제X층판은 중심관 주위의 회색질교련(gray commissure)에 위치한다.

1) 척수 분절에 따른 렉시드 층판 구조[그림 5-9-b]

척수 분절에 따라서 다음과 같이 3가지 유형의 렉시드 층판 구조를 볼 수 있다.

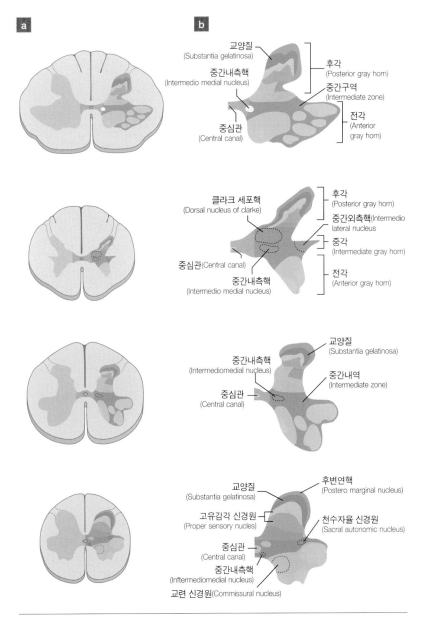

그림 5-9. 세포구축학적 층판구조: 렉시드 층판(Rexed lamination)

제I층판에서 제VI층판까지는 후각(posterior horn)에, 제VII층판은 측각(lateral horn)에 위치한다. 제VIII, 제IX층판은 전각(anterior horn)에 위치하며, 제X층판은 중심관 주위의 회색질교련(gray commissure)에 위치한다.

(1) 팽대부형(enlargement type): 경수팽대나 요수팽대에서 나타나는 형 (enlargement type)으로, 제I층판에서 제V층판이 있는 후각은 넓고 좌우가 완전히 분리되어 있으며 제 VI층판이 뚜렷하다. 제VII층판은 전각까지 들어가 있고, 제VIII층판은 전각 내측의 일부에만 위치해 있으며, 제 IX층판의 외측세포군이 매우 발달되어 있다.

(2) 흉수형(thoracic type): 주로 흉수에서 발견할 수 있으며 후각은 작고 좁으며, 제VI층판이 없고 제VIII층판이 전각의 대부분을 차지하고 있다.

(3) 이행형(transitional type): 경수의 비팽대부와 천수에서 나타나며 대체로 후각은 팽대부에 가깝고 전각은 흉수와 유사한 형태를 보인다.

2) 렉시드 층판(Rexed lamination)

(1) 제I층판(lamina I)

제I층판(lamina I)은 후각(posterior horn)의 배측 가장 바깥쪽에 있는 부위로, 세포 밀도는 비교적 낮으나 변연세포(marginal cell, Waldeyer's cell)라고 하는 매우 큰 세포가 발견된다. 이 세포는 후각의 볼록면에 평행하게 배열된 방추형 세포로서 특징적으로 수상돌기가 가로 방향으로 뻗어 있다. 제I층판에는 물리적 자극에 의한 통각을 전달하는 신경원이 많이 분포하고 있다. 따라서 후근(posterior root)을 통해 들어오는 구심성 섬유(afferent fiber)의 일부는 이 층판에서 변연세포와 시냅스를 이루어 종지하고, 시냅스를 이룬 변연세포의 축삭이 반대편 척수로 건너가 척수시상로(spinothalamic tract)의 일부로 구성된다. 또한 일부에서는 변연세포와 작은 신경원의 축삭이 척수고유섬유가 되어 다른 분절의 신경원과 시냅스를 이루어 분절사이반사(intersegmental reflex)에 중요한 역할을 한다.

(2) 제II층판(lamina II)

제II층판(lamina II)은 제I층판보다 내측으로 위치하며, 매우 작은 세포들이 촘촘하게 모여 있는 형태로 관찰되며 아교질에 해당된다. 제II층판은 다시 두 구역으로 구분되는데, 세포가 좀 더 조밀하게 모여 있는(두께가 전체의 1/4- 1/5 정도) 외층(outer zone, IIo)과 세포가 보다 덜 조밀한 내층(inner zone, IIi)으로 나누어진다. 제II층판을 수초염색(Weigert stain 바이게르트 염색)하면 염색이 안되는 투명한 층으로 나타나는데 이를 교양질 혹은 롤란도 교양질(substantia gelatinosa of Rolando)이라고 한다.

제II층판의 신경원은 무수초축삭(unmyelinated axon)을 내어 부근의 외측섬유단과 리사우어 신경로를 통해서 위아래 네 분절까지 상행 또는 하행하여 다른 여러 층의 신경원들과 시냅스를 이룬다. 매우 풍부한 수상돌기(dendrite)를 가진 이 신경원 세포는 일차구심섬유(afferent fiber)의 곁가지와 시냅스를 이루고 뇌간 그물형성체(reticular formation)에서 내려오는 신경섬유와도 시냅스를 이룬다. 일차구심섬유의 유입을 중개하는 이 부분은 입력되는 감각정보, 특히 통각을 조절하는데, 통증 문조절설(Gate control theory)에서의 문(Gate)에 해당한다.

(3) 제III층판(lamina III)

제III층판(lamina III)은 제I층판과 제2층판에 비해서 넓은 부위를 차지하고 있으며 세포는 제 II층판 세포에 비해서는 약간 크지만, 대체로 다른 층판의 신경원 세포 보다는 작고 니슬소체(Nissl body, 그림 5-10)가 잘 발달되어 있지 않다. 이것은 일차구심섬유의 시냅스를 이루고 있으며 감각 전달에 관여한다.

(4) 제IV층판(lamina IV)

제IV층판(lamina IV)은 다양한 형태와 크기의 세포들로 구성되어 있으며 제 II, 제 III층판보다는 큰 세포로 구성되어 있다. 이러한 제IV층판의 신경원은 제II, 제III층판쪽으로 수상돌기를 뻗어있으며

축삭은 반대쪽으로 건너가 척수시상로를 형성한다. 일부 신경원의 축삭은 척수고유섬유가 되어 다른 분절의 신경원과 시냅스를 이룬다. 이 층판에는

후섬유단에서 들어오는 수초화된 섬유(myelinated fiber)가 많으며, 후근 (posterior root)을 통해 들어오는 일차구심섬유의 밀도도 가장 높다.

(5) 제V층판(lamina V)

제V층판(lamina V)에는 제 IV층판보다도 더 다양한 형태와 크기의 세포 가 존재한다. 또한 이 층판은 외측 1/3을 차지하는 외측부와 내측2/3를 차지 하는 내측부로 나누어지며, 외측부의 세포는 비교적 크고 니슬소체가 발달 되어 있으나, 보다 밀집된 내측부의 세포는 작으며 니슬소체도 덜 발달되어 있다. 외측부의 외측에는 섬유다발과 세포가 섞여 있는 그물형성체(reticu- lar formation)가 있으며 경수 높이에서 가장 뚜렷하다.

① 광범위역동적 신경원(Wide dynamic range neuron)

제IV, 제V층판에는 수용범위가 넓어서 통각뿐만 아니라 다른 광범위한 자극을 수용, 전달하는 신경원이 많이 분포한다.

(6) 제VI층판(lamina VI)

제VI층판(lamina VI)은 경요수팽대부(cervical/lumbar enlargement) 에서는 비교적 넓은 부위를 차지하고 있으나 일부 흉요수 부위(4번 흉수에서 2번 요수 까지)에서는 나타나지 않는다. 제VI층판의 신경원은 제V층판이나 제 VII층판의 신경원에 비해서 니슬소체가 더 풍부하다. 제V층판처럼 두 부 분으로 나누어지는데 외측 2/3를 차지하는 외측부와 내측 1/3을 차지하는 내측부로 나누어진다. 외측부의 세포는 크고 산재되어 있으나, 내측부의 세 포는 밀집되어 있고 작으며 진하게 염색된다. 인간의 척수에서는 제V층판과 제VI층판이 잘 구분되지 않는다. 그리고 제 IV, V, VI층판은 척수고유핵 (nucleus proprius)에 해당한다.

(7) 제VII층판(lamina VII)

제VII층판(lamina VII)은 중간구역(zone intermedia 혹은 intermedi-

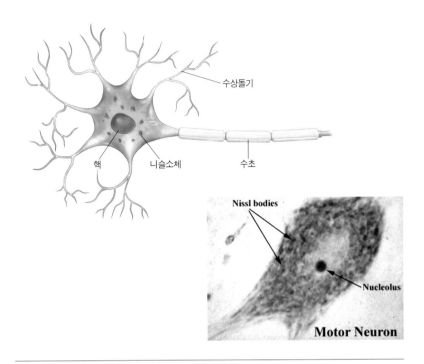

그림 5-10. 니슬소체(Nissl body)

과립성 소포체와 포리리보솜으로 이루어진 신경세포에 존재하는 과립군으로 RNA가 풍부하고 염기성 염료로 염색된다. 이 과립을 처음 발견한 독일의 신경학자 F. Nissle의 이름을 따서 명명하였다.

ate gray 중간회색질)이라고도 하며 회색질의 중간부를 차지하고 있으며 모든 층판 중에서 가장 넓다. 비교적 균일한 세포가 산재해 있으며 팽대부에서는 전각쪽으로도 많이 들어가서 차지하고 있다.

제VII층판에는 몇 가지의 특수한 핵이 존재한다.

① 클라크세포핵(Clarke's nucleus)

클라크세포핵은 8번 경수(C8)나 1번 흉수(T1)에서 시작하여 2번 요수(L2) 또는 3번 요수(L3)까지 위치해 있는 뚜렷한 핵으로, 가로 절단면에서는 제VII층판의 내측 배측에 위치하며 원형 또는 타원형의 모양을 하고 있다. 매우 크고 니슬소체가 풍부한 세포들로 구성되어 있다. 하지 근육의 신경근방추(neuromuscular spindle)와 골지건기관(Golgi tendon organ, neurotendineous spindle)을 지배하는 굵은 구섬성 유수신경섬유(Group 1a, Ib afferent fiber)들은 클라크세포기둥에서 시냅스를 이루고, 이 핵에 있는 신경원의 축삭은 후척수소뇌로(posterior cerebellar tract)를 이루어 소뇌에서 종지한다.

② 중간외측핵(intermediolateral cell nucleus)

중간외측핵(intermediolateral cell nucleus)은 비교적 작은 핵으로, 제VII 층판의 내측에서 제X층판으로의 이행부인에 외측전각의 꼭대기에 위치한다. 내장구섬성섬유(visceral afferent fiber)가 이 곳에서 시냅스를 이루어 여러 교감신경절로 투사되고 내장반사(visceral reflex)에 관여한다고 알려져 있으며 거의 모든 척수분절에서 관찰된다.

③ 중심경수핵(central cervical nucleus)

중심경수핵(central cervical nucleus)은 상위 4개의 경수분절(C1-C4)에서 중간 중간 끊어지는 세포주(Cell column)를 형성한다. 그리고 설하신경핵(hypoglossal nucleus)의 아랫쪽 연장이라고 하기도하고, 척수소뇌로의 중개핵이라고 하기도 한다. 상당히 크고 니슬소체가 뚜렷한 세포들로 구성되어 있다.

(8) 제VIII층판(Iamina VIII)

제VIII층판(Iamina VIII)은 전각의 배측 바닥에 위치하며 대체로 제IX층판을 제외한 대부분의 전각을 차지하지만 경요수팽대부에서는 전각내측의 일부만을 차지하고 있다. 다양한 크기의 세포가 혼재되어 있으며, 니슬소체는 제IX층판의 운동세포보다는 뚜렷하지 않으나 제VII층의 세포에 비해서는 풍부하다.

제VIII층판에서 전정척수로(vestibulospinal tract)와 망상척수로(reticulospinal tract)와 같은 일부 하행로(descending tract)가 도달하여 시냅스를 이루고 제VIII층판 신경원의 축삭은 동측과 반대측의 제VII층판과 제

IX층판으로 주행한다.

① 척수망상로(Spinoreticular tract)

척수시상로와 거의 같은 위치에서 주행하며 뇌간의 망상형성체(Reticular formation)로 통각을 전달하는 척수망상로(Spinoreticular tract)는 그 수용기와 일차 신경원이 제VII, 제VIII 층판에 분포한다.

(9) 제IX층판(lamina IX)

제IX층판(lamina IX)은 골격근세포를 지배하는 운동신경원인 전각신경원 (anterior horn cell, somatic motor neurons 체성운동신경세포)들의 몇 개의 군(group)으로 구성되어 있으며, 복측내측세포군(ventromedial cell group), 중심세포군(central cell group), 복측외측세포군(ventral lateral cell group), 배측외측세포군(dorsolateral cell group)등으로 구분할 수 있다.

제IX층판(lamina IX)은 척수분절에 따라서 전각내에서의 위치가 다소 다르며, 대체로 비팽대부에서는 척수 전각의 제VIII층판 내에 위치하며, 경요수팽대부에서는 주로 외측으로 크게 확장된 전각의 대부분을 차지하는 제 VII층판 내에 위치하고 더 많은 수의 운동신경세포들이 더 많은 수의 집단을 형성한다.

전각의 신경원은 체성국소배열(somatotopical arrangement)이 뚜렷하여 외측의 세포군은 원위부(distal portion), 즉 사지(limb) 의 근육을 지배하고, 내측의 세포군은 근위부(proxima l portion), 즉 목과 동체의 근육을 지배한다. 또한 복측에서 배측으로는 외전근(abductor), 신근(extensor), 내전근(adductor) , 굴근(flexor)의 순서로 근육을 지배한다[그림 5-3-b].

이 층판의 전각신경원은 골격근세포를 지배하는 알파운동신경원(α-motor neuron)으로 척수에서 가장 큰 세포이며, 니슬소제가 매우 뚜렷한 전형적인 운동신경원의 형태를 띤다. 그리고 그 사이사이에는 감마운동신경원들이 흩어져 있으며 원심섬유를 내어서 근육방추(muscle spindle), 즉 방추속근세포(intrafusal muscle fiber)를 지배한다. 이것은 근긴장(muscle tone) 유지에 중요한 역할을 한다.

IX층판에서는 몇 개의 특수한 핵을 구분할 수 있다.

① 척수부신경핵(spinal accessory nucleus)

척수부신경핵(spinal accessory nucleus)은 1번 경수(C1)에서 5번 경수(C5) 또는 6번 경수(C6)까지의 전각의 외측에 위치한 운동신경원으로 구성되어 있다. 이 신경원의 축삭은 배외측(dorsolateral side)으로 주행하여 부신경(accessory nerve)의 12개 정도의 소근(rootlet)으로 이루어진 척수근(spinal root)을 형성한다. 소근(rootlet) 모두가 모여 척수의 바깥의 치아인대 뒤쪽의 거마막밑 공간에서 하나의 부신경간 (trunk of accessory nerve)이 된다. 부신경간은 위쪽으로 진행하여 대후두공(foramen magnum)을 통해 두개강(cranial cavity) 내로 들어간다. 두개강 내로 들어간 척수근은 뇌근(cranial root)과 합쳐지게 되며 목정맥공(jugular foramen)을 통해 두개강의 바깥쪽으로 나온다. 여기에서 다시 척수근과 뇌근은 갈라지게 되며, 척수근은 흉골쇄골유돌기근(sternocleidomastoid muscle, 흉쇄유돌근)과 등세모근 (trapezius muscle, 승모근)의 위쪽을 지배한다.

② 횡격막신경핵(phrenic nucleus)

횡격막신경핵(phrenic nucleus)은 3번 경수(C3)에서 5번 경수(C5)까지 전각의 복내측핵군(ventromedial nulear group)에 위치한 운동신경원으로 구성되어 있다. 이 신경핵은 연수의 호흡중추(respiratory center)에서 내려오는 하행섬유를 받으며 호흡운동에 관여한다.

③ 오누프핵(Onuf's nucleus or nucleus of Onufrowicz)

2번 천수(S2) 전각의 앞쪽 내측에는 다른 전각운동신경원보다는 작은 운동신경세포들로 구성된 세포군이 있으며 이를 오누프핵(Onuf's nucleus)이라고 한다. 이 핵은 골반격막(pelvic floor)의 조임근(sphincter muscle)과 좌골해면체근(ischiocavernosus muscle), 망울해면체근(bulbospongiosus muscle)을 지배한다. 이것은 여성에서는 발달되어 있지 않으며, 남성에서만 발달되어 있으므로 성적 차이가 있는 핵 (sexually dimorphic nucleus)이라고도 한다. 이 핵은 발달과정에서 남성호르몬의 양에 따라 형태가 달라진다고 생각되며 동물에서는 이 같은 사실이 입증되어 있다.

10) 제X층판(lamina X)

제X층판(lamina X)은 회색질 중앙의 중심관 주위와 회색질교련(gray commissure)에 위치한 세포군으로 중심관 주위에는 비교적 세포가 없으며 주로 무수신경섬유로 이루어진 중심교양질(central substantial gelatinosa)이 있다.

Ⅲ 후근진입구역(Dorsal root entry zone)

직경이 작은 유수신경섬유(Aδ 섬유)와 무수신경섬유로 이루어진 1차 통각 구심섬유(Primary nociceptive afferent fiber)는 후근진입구역(root entry zone)의 외측으로 들어가며 제I층판에서 후변연핵(Posteromarginal nucleus)의 신경세포들과 시냅스를 이룬다. 외측으로 들어간 대부분의 신경 섬유는 후각으로 들어가고 일부는 리사우어 신경로로 들어가서 상하행섬유 로 갈라져서 위로는 두 분절 아래로는 한 분절 정도 내려와서 후각으로 들어 가기도 한다[그림 5-11-a, b]. 직경이 큰 유수신경섬유로 이루어진 1차 비통 각 구심섬유(Primary nonnociceptive afferent fiber)는 후근진입구역의 내측으로 들어가서 회색질의 표면을 따라서 주행하다가 제II층판에서 신경세 포들(제IV 층판에서 유래한 거대세포)과 시냅스를 이루고 투사섬유(Projection fiber)를 통해서 전백색교련을 가로 질러서 시상으로 주행한다[그림 5-11-a, b]. 척수후근섬유가 척수로 들어오면서 슈반세포(Schwann cell)가 없어지고, 중추신경계내로 진입하는 척수후근섬유 사이에는 많은 신경섬유 가 다른 방향으로 주행한다[그림 5-11-c].

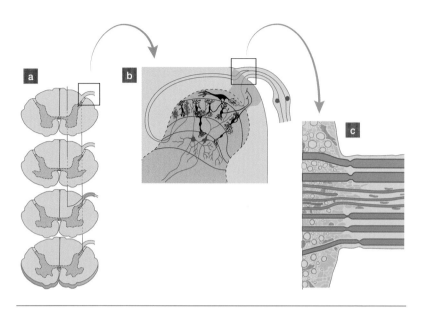

그림 5-11. 후근진입구역(Dorsal root entry zone).
a. 내측(청색)과 외측(적색) 후근진입구역으로 들어온 신경섬유의 주행 b. 1차 통각 구심섬유 (Primary nociceptive afferent fiber)는 후근진입구역(Dorsal root entry zone)의 외측으로 들어가며(적색), 1차 비통각 구심섬유(Primary nonnociceptive afferent fiber)는 내측으로 들어간다(청색). c. 후근진입구역의 전자 현미경 사진 이원택, 박경아: 의학신경해부학, ed, 고려의학, pp. 250 그림 5-17)

참고문헌

1. 이원택, 박경아: 의학신경해부학, ed, 고려의학, pp. 229-250
2. Malcolm B. Carpenter: Carpenter's Human Neuroanatomy ninth edit. pp. 325-367
3. Albe-Fessard D, Levante A, Lamour Y. Origin of spinothalamic tract in mokeys. Brain Res 1974;65:503-509
4. Albright BC The distribution of lateral funicular and cortical fibers to the dorsal column, Z and X nuclei in the prosimian Galago, Neuro-science 7:1175-11 85, 1982
5. Barson AJ, Sands J: Regional and segmental characteristics of the human adult spinal cord J Anat (Lodon) 123:797-803 1970

6. Brown AG: Organization in the Spinal Cord, *The Anatomy and Physiology of Identified Neurones*, Springer, Berlin, 1981

7. DeBiasi S, Rustioni A. Glumate and substance P coexist in primary afferent terminalis in the superficial laminae of spinal cord. Proc Natl Acad Sci USA 1988;85:782907824

8. Nathan PH, Smith MC: The rubrospinal and central tegmental tracts in man, Brain 105:223-269, 1982

9. Peterson B 'Reticulo-motor pathways: Their connections and possible roles in motor behavior, In H Asanuma, VJ Wilson (eds) Integration in the Nervous System, Igaku Shoin, Tokyo 185-201

10. Romanes GJ. The motor cell columns of the lum, bosacral spinal cord of the cat. JComp Neurol 1951:94:313-363

11. Scheibel ME, Scheibel AB. Spinal moyotr neurons, interneurons and Renshaw cells. Nueroscience 1982;7:2057-2087

12. Willis WD: Nociceptive pathways 'Anatomy and physiology of nociceptive accending pathways, *Philos Trans R Soc Lond* 308:253-268, 1985

척수내 신경로

척수내 신경로

○ 박형기, 임수빈

1절 척수 전달로의 발생학적 이해

신경전달로 배치와 경로는 일견 보기에 복잡하게 얽혀있고 무질서해 보인다. 이를 일목요연하게 이해하기 위해서는 신경전달로가 전달하는 기능을 발생학적 기반으로 이해해야 한다. 기본적인 생명유지에 관련된 기능은 가장 우선적으로 필요하므로 신경계 발생 초기에 형성되며 원시적인 기능이다. 그 이후에 개체 자신의 몸과 사지의 균형을 잡고 움직임을 제어하기 위한 기능이 발생하고 다음으로 반사 기능, 최종적으로 외부환경과 반응하기 위한 기능이 발생한다.

일례로, 고유감각(proprioception)을 살펴보자, "proprio-"는 "one's own" 이라는 뜻으로 자신의 몸에서 발생하는 감각을 의미하며 뜻 그대로 근육이나 관절을 움직일 때 골지건기관(goli tendon organ), 근방추(muscle spindle) 에서 발생하는 신호를 전달하여 무의식수준에서 근육긴장도와 자세유지를 제어하며 비교적 원시적인 기능에 속한다. 고유감각의 반대 개념인 외부감각(exteroception)은 몸의 외부에서 발생하는 자극을 피부의 감각수용체를 통해서 받아들여서 느낄 수 있게 해주며 이는 고유감각보다는 발달된 기능이다. 외부 감각을 다시 세분하면 위치감, 진동감과 같이 감각이 자극 부위가 덜 분명한 둔한 감각과 뜨거움, 그리고 열감, 통증과 같은 자극 발생 부위가 분명하고 예리한 감각으로 나눌 수 있는데 예리한 감각이 둔한 감각보다 더 발달된 감각이다. 이와 같이 감각기능을 발달정도에 따라 순차적으로 나열할 수 있다.

운동기능 중에서는 움직이고자 하는 의지를 전달하는 기능(volitional movement)이 가장 발달된 기능이며 이를 협조(coordination)하고 평형을 유지하거나 근긴장도를 유지하는 기능 이 원시적인 기능에 해당된다. 반사는 근긴장도 우리가 인식하지 못하는 사이에 항상 반응하고 있으며 원시적 기능이다. 근긴장도 조절을 다시 신전근(extensor)과 굴곡근(flexor)으로 세분하면 신전근은 서 있는 것과 같은 버티는 동작(enduring movement)시, 넘어지거나 떨어질 때 다리나 팔을 뻗을 때 반사적으로 작동한다. 이에 반해, 굴곡근은 걸음을 시작할 때, 물건을 잡을 때와 같이 의지적 움직임, 세밀한 움직임과 연관되어 있다. 따라서 골곡근은 신전근에 비하여 발달된 기능이라 할 수 있다. 이러한 개념하에 운동기능도 발달 정도에 따라 순서화 할 수 있으며 나열해 보면 표 6-1와 같다.

표 6-1. 발생학적 측면에서의 운동과 감각기능의 배분

발달정도	원시적 기능 ◄—————————————► 발달된 기능		
감각기능	Proprioception Interoception Kinesthetic sense	Dull Exteroception (Touch,Pressure sense) Visceral sense	Sharp Exteroception (Pain,Thermal sense)
운동기능	Reflex Extrapyramidal tract Equilibrium Enduring motion Coordination	Extensor muscle Trunk, proximal muscle	Volitional movement Pyramidal tract Flexor muscle tone Fine movement

2절 척수 전달로의 배치와 교차의 규칙

　신경전달로 배치의 가장 뚜렷한 규칙은 "원시적인 기능을 전달하는 신경전달로와 발달된 기능을 전달하는 신경전달로가 척수단면의 특정 지역에 구분되어 배치되어 있다."는 것이다. 즉, 원시전달로는 원시전달로 끼리, 발달된 신경로는 자기들끼리 모여 있는 것이다. 이 규칙은 신경로가 상행신경로이든 하행신경로이든 감각신경이든 운동신경이냐에 상관이 없이 오히려 발달된 정도에 따라 모여 있는 것이다. 이는 신경전달로를 감각신경, 운동신경으로 구분하거나 상행, 하행신경로 구분하여 이해하는 것보다 훨씬 쉽게 이해 할 수 있게 해준다. 발달된 신경로가 모여 있는 부분을 "신척수: Neomyelon", 원시적 신경로가 모여 있는 부분을 "구척수: Archmyelon"라고 부를 수 있다 [그림 6-1].

　어떤 신경로의 경로도 복잡하다. 어떤 것은 반대편으로 교차를 하며 어떤 신경로는 교차하지 않는다. 신경로의 교차에도 발생학적 원칙이 적용된다. 큰 경향은 원시신경로는 교차하지 않는 반면에 발달된 신경로는 교차를 한다. 교차하는 신경로를 보다 발달 정도에 따라 세분하면 덜 발달된 기능을 가진 신경로인 경우 그 경로의 후기에 교차하고 발달된 신경로는 그 경로의 초기에 교차한다. 여기에 예외적으로 두 번 교차하는 중간단계 신경로가 하

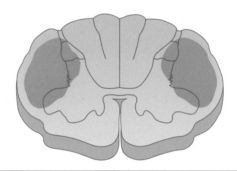

그림 6-1. 발달된 신경로(Neomyelon) (분홍색)와 원시적 신경로(Archemyelon) (푸른색)의 위치를 척수 단면 모식도

나 있는데 이는 원시 신경로와 같이 동측을 지배한다[표 6-2] [그림 6-2].

표 6-2. 감각과 운동기능의 발생학적 분류와 주행 중 교차 여부

	원시적기능	발달된기능
감각기능	고유감각, 둔한감각	외부감각, 예민한감각
운동기능	근긴장조절, 반사 운동협조 신전근	의지적 움직임 정밀한 움직임 굴곡근
연결부위	뇌교, 연수, 소뇌	대뇌피질, 시상, 중뇌
경로	교차않거나 2회 교차 동측 지배	1회 교차 반대측 지배

대표적
신경로
	·후척수소뇌로(posterior
	  spinocerebellar tract)
	·전정척수로(vestibulospinal tract)
	·망상체척수로(reticulospinal tract)
	·전정척수로(spinoreticular tract)
		·외측척수시상로(lateral
		  spinothalamic tract)
		·외측피질척수로(lateral
		  corticospinal tract)
		·적핵척수로(rubrospinal tract)

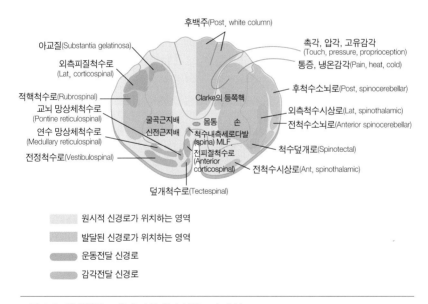

그림 6-2. 발생학적 고찰에 따른 척수신경로의 배치

각각의 신경로의 경로를 원시신경로부터 알아보자.

I 자율신경경로(Autonomic Pathways)

개체의 활동 정도나 주위환경에 따라 장기의 활동을 조절해야 할 필요성에 따라 발달한 것이 하행자율신경로이며 매우 원시적인 기능이다. 시상하부(hypothalamus), 동안신경복합체(oculomotor complex), 청색반점(locus ceruleus), 고립로핵(nucleus of solitary tract) 등에서 시작되어 척수의 내장성 신경세포군(visceral cell groups)에서 종지하여 평활근, 심장근, 및 내장기관을 지배한다[그림 6-3]. 내장성 신경세포군은 중간외측세포주(intermediolateral cell column)이며 여기서 교감성과 부교감성 신경절이전신경세포을 통해 각종 장기를 조절한다.

II 척수망상 섬유(Spinoreticular Fibers)

이 또한 가장 원시적인 신경전달로 중의 하나로 후각에서 시작하여 척수의 전방외측을 따라 올라가서 뇌간에 위치한 망상체에서 끝난다[그림 6-4]. 주로 연수의 거대세포망상핵(nucleus reticularis giantocellularis)에 종지하고 뇌교의 망상체를 지나는 척수망상섬유는 양측성으로 분포하며 일부가 중뇌의 망상체까지 도달한다. 기능은 행동각성(behavior awareness), 감정의 조절 등 원시적인 기능을 담당한다.

III 망상척수로(Reticulospinal Tracts)

망상척수로도 원시 신경로로서 뇌교와 연수에 분포하는 망상체에서 시작

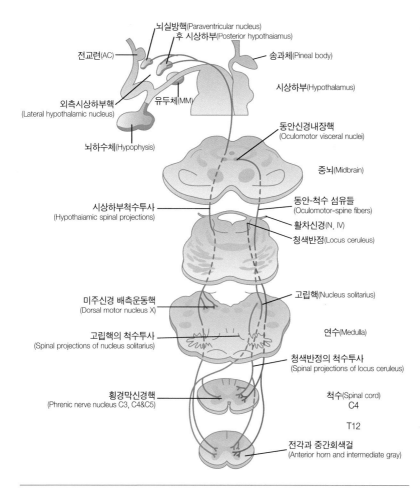

그림 6-3. 척수로 가는 내림자율신경로의 모식도

하여 내려간다. 뇌교에서 시작하는 뇌교망상척수로는 뇌교 피개의 내측에 위
치한 뇌교망상핵의 미측부분과 두측부분(nuclei reticularis pontis cau-
dalis and oralis)에서 시작하여 동측 전방 섬유단의 내측을 따라 내측종속
(Medial Longitudinal Fasciculus: MLF)에 인접하여 척수의 전 길이를
따라 내려가면서 제Vll, Vlll 층판 에서 종지한다. 이는 몸통과 사지 근육에
분포하는 운동신경세포의 흥분을 시킨다[그림 6-2, 6-4]. 연수망상척수로는 연

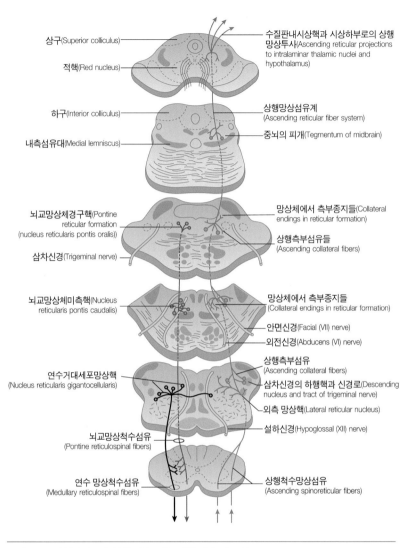

상구(Superior colliculus)

적핵(Red nucleus)

수질판내시상핵과 시상하부로의 상행망상투사(Ascending reticular projections to intralaminar thalamic nuclei and hypothalamus)

하구(Interior colliculus)

내측섬유대(Medial lemniscus)

상행망상섬유계(Ascending reticular fiber system)

중뇌의 피개(Tegmentum of midbrain)

뇌교망상체경구핵(Pontine reticular formation (nucleus reticularis pontis oralis))

삼차신경(Trigeminal nerve)

망상체에서 측부종지들(Collateral endings in reticular formation)

상행측부섬유들(Ascending collateral fibers)

뇌교망상체미측핵(Nucleus reticularis pontis caudalis)

망상체에서 측부종지들(Collateral endings in reticular formation)

안면신경(Facial (VII) nerve)

외전신경(Abducens (VI) nerve)

연수거대세포망상핵(Nucleus reticularis gigantocellularis)

상행측부섬유(Ascending collateral fibers)

삼차신경의 하행핵과 신경로(Descending nucleus and tract of trigeminal nerve)

외측 망상핵(Lateral reticular nucleus)

설하신경(Hypoglossal (XII) nerve)

뇌교망상척수섬유(Pontine reticulospinal fibers)

연수 망상척수섬유(Medullary reticulospinal fibers)

상행척수망상섬유(Ascending spinoreticular fibers)

그림 6-4. 상행(우측) 및 하행(좌측) 척수망상 섬유의 모식도

수 망상체의 내측 2/3 부분에서 유래하여 유사한 경로와 기능을 가진다. 이 두 신경로는 원시적 신경로이므로 구척수(archimyelon)에 위치하며 교차하지 않는다.

Ⅳ 내측종속(Medial Longitudinal Fasciculus; MLF)

뇌간의 여러 신경핵에서 유래한 하행신경다발이 전방 섬유단의 후방에 존재하는데 이를 내측종속(MLF) 이라 한다[그림 6-2]. 척수에 존재하는 하행성 섬유는 내측전정핵과 하측전정핵(전정척수신경로), 연수망상체(망상체척수로), 상구(superior colliculus) (개척수로; tectospinal tract) 그리고 Cajal 의 간질핵(interstitial nucleus of Cajal) (간질척수로; interstitiospinal tract)에서 시작된 것이다. 이 다발은 경수분절까지 분명한 신경로를 형성하며, 일부 섬유는 천수분절까지 내려간다. 이 다발의 섬유 중 내측전정핵에서 기시된 섬유는 주로 동측 척수의 제 Ⅶ, Ⅷ 층판에 끝난다. 척수의 내층 종속 중 가장 큰 성분인 연수망상척수로는 제 Ⅶ, Ⅷ, Ⅸ층판에서 끝난다. 간질척수로는 내층종속 외측에 위치하는 중뇌의 작은 신경핵인 간질핵과 동안신경복합체에서 시작되어 교차하지 않고 내려가서 모든 척수분절의 제 Ⅷ 과 Ⅶ 층판의 일부분에 끝난다.

Ⅴ 후척수소뇌로(Posterior Spinocerebellar Tract)

이는 고유감각 중 좀 더 원시적인 형태인 무의식 고유감각을 전달한다. 즉, 주된 기능은 하지의 근육 긴장도와 반사를 조절한다. 걸음을 내딛어 발끝이 땅에 닿을 때 반사적으로 대퇴사두근(quadriceps femoris) 에 긴장을 가하는 동작에 관여한다. 하지의 골지건기관과 근방추에서 시작한 섬유가 배측핵으로 들어오고 여기서 시작한 신경섬유가 외측 섬유단의 후외측부분을 통하여 올라간다[그림 6-2]. 이 부분은 단면에서 구척수(archimyelon)에 해당하는 부위이다.

이 신경로는 연수까지 올라와 하소뇌각(inferior cerebellar peduncle)를 통하여 소뇌로 들어가 동측 소뇌의 충양체(vermis)에 종지한다[그림 6-5]. 신경로를 통하여 전달된 자극은 원시적인 고유감각으로 의식수준에서 느낄 수

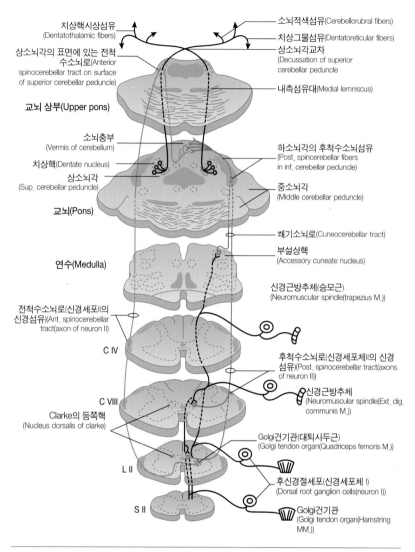

소뇌적색섬유(Cerebellorubral fibers)

치상그물섬유(Dentatoreticular fibers)

상소뇌각교차
(Decussation of superior
cerebellar peduncle

내측섬유대(Medial lemniscus)

치상핵시상섬유
(Dentatothalamic fibers)

상소뇌각의 표면에 있는 전척
수소뇌로(Anterior
spinocerebellar tract on surface
of superior cerebellar peduncle)

교뇌 상부(Upper pons)

소뇌충부
(Vermis of cerebellum)

치상핵(Dentate nucleus)

상소뇌각
(Sup. cerebellar peduncle)

교뇌(Pons)

하소뇌각의 후척수소뇌섬유
(Post. spincerebellar fibers
in inf. cerebellar peduncle)

중소뇌각
(Middle cerebellar peduncle)

연수(Medulla)

쐐기소뇌로(Cuneocerebellar tract)

부설상핵
(Accessory cuneate nucleus)

신경근방추체(승모근)
(Neuromuscular spindle(trapezius M.))

전척수소뇌로(신경세포II의
신경섬유)(Ant. spinocerebellar
tract(axon of neuron II))

C IV

후척수소뇌로(신경세포체II의 신경
섬유)(Post. spinocerebellar tract(axons
of neuron II))

신경근방추체
(Neuromuscular spindle(Ext. dig.
communis M.))

C VIII

Clarke의 등쪽핵
(Nucleus dorsalis of clarke)

L II

Golgi건기관(대퇴사두근)
(Golgi tendon organ(Quadriceps femoris M.))

후신경절세포(신경세포체 I)
(Dorsal root ganglion cells(neuron I))

S II

Golgi건기관
(Golgi tendon organ(Hamstring
MM.))

그림 6-5. 후척수소뇌로(붉은색)와 설상소뇌로(푸른색)의 모식도

없기 때문에 무의식고유감각(unconsciousness proprioception)이라 하며
자세와 하지 근육운동의 미세한 협조와 조절(coordination)에 이용된다.

이와 유사한 척수로로 설상소뇌로(Cuneocerebellar tract)가 있는데, 후

척수소뇌가 하지의 고유감각을 담당한다면 이는 상지의 고유감각을 담당한다. 상지의 근방추와 골지건기관에서 시작한 섬유를 받아 올라가 연수의 부설상핵에 종지하게 된다[그림 6-2, 6-5]. 이 신경로는 교차하지 않으며 척수 단면에서 구척수(archimyelon)에 위치한다. 직립보행을 하는 인간에서는 상지의 반사가 크게 필요치 않으므로 미약하다. 소뇌로 들어오는 신경전달로들은 대개 유사한 기능을 하며 시작부위가 조금씩 다를 뿐 유사한 기능을 한다. 이들이 표 6-3에 정리되어 있다.

Ⅵ 전정척수로(Vestibulospinal Tract)

전정척수로는 대표적인 추체외로계로서 주로 신전근의 긴장도를 조절한다. 전정핵은 뇌교와 연수의 넷째 뇌실 바닥에 위치하는 세포집합체이다. 이들은 주로 머리의 움직임을 감지하므로 이 신경로의 기능은 주로 머리의 움직임에 따라 다리를 자동적으로 신전시킴으로서 넘어지지 않거나 균형을 잡게 하는 것이다. 4개 전정핵 복합체(medial vestibular nu., lateral vestibular nu., superior vestibular nu., inferior vestibular nu) 중 주로 외측전정핵에서 시작하여 외측섬유단의 전방 부분을 따라 척수를 따라 내려간다[그림 6-2].

이들은 척수에서는 흉수분절보다는 경수분절과 하위요수분절에 3-4배 더 강한 영향을 미치고 의식수준에서 느끼지 못하는 원시적인 기능에 속하므로 archimyelon 에 위치하며 교차하지 않는다.

Ⅶ 척수개로(Spinotectal Tract)

개(tectum)는 시각의 중계 역할을 하는 곳이다. 후각(posterior horn)의 제Ⅰ, Ⅴ층판에서 시작하고 교차하여 척수의 전방외측부분 척수시상로 근처에 위치하여 중뇌에서는 상구(superior colliculus), 수도주위 회색질(periaqueductal gray)에 가서 끝난다[그림 6-2, 6-6].

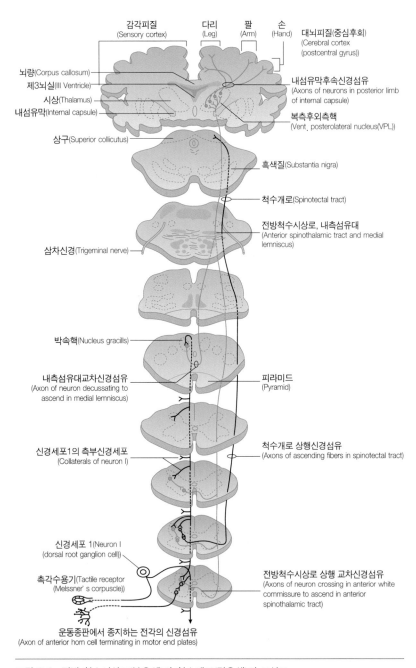

감각피질
(Sensory cortex)

다리
(Leg)

팔
(Arm)

손
(Hand)

대뇌피질(중심후회)
(Cerebral cortex
(postcentral gyrus))

뇌량(Corpus callosum)

제3뇌실(III Ventricle)

시상(Thalamus)

내섬유막(Internal capsule)

내섬유막후속신경섬유
(Axons of neurons in posterior limb
of internal capsule)

복측후외측핵
(Vent. posterolateral nucleus(VPL))

상구(Superior collicutus)

흑색질(Substantia nigra)

척수개로(Spinotectal tract)

전방척수시상로, 내측섬유대
(Anterior spinothalamic tract and medial
lemniscus)

삼차신경(Trigeminal nerve)

박속핵(Nucleus gracills)

내측섬유대교차신경섬유
(Axon of neuron decussating to
ascend in medial lemniscus)

피라미드
(Pyramid)

신경세포1의 측부신경세포
(Collaterals of neuron I)

척수개로 상행신경섬유
(Axons of ascending fibers in spinotectal tract)

신경세포 1(Neuron I
(dorsal root ganglion cell))

촉각수용기(Tactile receptor
(Meissner' s corpuscle))

전방척수시상로 상행 교차신경섬유
(Axons of neuron crossing in anterior white
commissure to ascend in anterior
spinothalamic tract)

운동종판에서 종지하는 전각의 신경섬유
(Axon of anterior horn cell terminating in motor end plates)

그림 6-6. 전방 척수시상로(붉은색)와 척수개로(검은색)의 모식도

Ⅷ 개척수로(Tectospinal Tract)

이 신경로의 섬유들은 상구(superior colliculus)의 심층에서 시작하여 중심회색질 주위를 전방내측으로 돌아서 배측피개교차(dorsal tegmental decussation)를 지나 내측종속(medial longitudinal fasciculus, MLF) 앞쪽의 정중봉선(median raphe) 근처를 지나서 내려간 후 연수에서 개척수 섬유는 내측종속으로 합쳐진다[그림 6-7]. 척수에서는 전방섬유단의 전정중열 근처에 위치하면서 경수분절까지만 내려가 해당분절의 제Ⅷ, Ⅶ, Ⅵ층판에서 끝난다[그림 6-8]. 기능은 시각신호와 몸통의 위치감을 상호 반사적으로 보완하기 위한 전달로이다. 주로 새와 같은 동물에서 발달되었지만 인간에서는 미약하다.

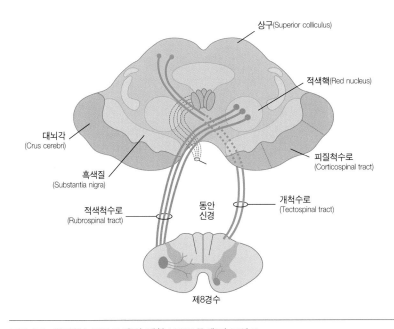

그림 6-7. 적색척수로(붉은색)와 개척수로(푸른색)의 모식도

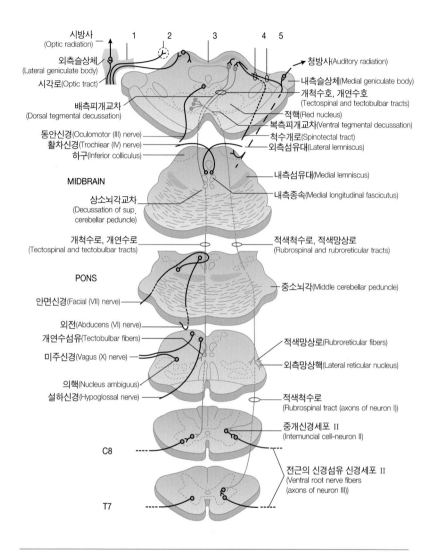

시방사 (Optic radiation)

외측슬상체 (Lateral geniculate body)

시각로(Optic tract)

배측피개교차 (Dorsal tegmental decussation)

동안신경(Oculomotor (III) nerve)
활차신경(Trochlear (IV) nerve)
하구(Inferior colliculus)

MIDBRAIN

상소뇌각교차 (Decussation of sup. cerebellar peduncle)

개척수로, 개연수로 (Tectospinal and tectobulbar tracts)

PONS

안면신경(Facial (VII) nerve)

외전(Abducens (VI) nerve)
개연수섬유(Tectobulbar fibers)
미주신경(Vagus (X) nerve)

의핵(Nucleus ambiguus)
설하신경(Hypoglossal nerve)

C8

T7

청방사(Auditory radiation)

내측슬상체(Medial geniculate body)
개척수호, 개연수호 (Tectospinal and tectobulbar tracts)
적핵(Red nucleus)
복측피개교차(Ventral tegmental decussation)
척수개로(Spinotectal tract)
외측섬유대(Lateral lemniscus)

내측섬유대(Medial lemniscus)

내측종속(Medial longitudinal fasciculus)

적색척수로, 적색망상로 (Rubrospinal and rubroreticular tracts)

중소뇌각(Middle cerebellar peduncle)

적색망상로(Rubroreticular fibers)

외측망상핵(Lateral reticular nucleus)

적색척수로 (Rubrospinal tract (axons of neuron I))

중개신경세포 II (Interuncial cell-neuron II)

전근의 신경섬유 신경세포 II (Ventral root nerve fibers (axons of neuron III))

그림 6-8. 적색척수로(붉은색)와 개척수로(푸른색)의 주행경로 모식도

Ⅸ 전방척수시상로(Anterior Spinothalamic Tract)

전방척수시상로는 외측척수시상로와 유사하게 시작하지만 연수 부위에서 일부 섬유가지가 망상체(reticular formation)의 신경핵으로 투사하고 내측

종속 근처로 주행하여 중뇌에서 후외측 시상핵의 미측부분(pars caudalis of ventral posterolateral nucleus, VPLc), 수도주위회색질(periaqueductal gray), 수질판속시상핵(intralaminar thalamic nucleus)으로 간다. 척수단면에서의 위치도 구척수(archimyelon)에 위치하며 교차한다[그림 6-2, 6-6]. 전방척수시상섬유는 외부감각 중 "가벼운 촉감(light touch)"을 전달하는데 외측척수시상로의 원시적인 형태로 외측척수시상로가 발달하며 그 역할은 보조로 밀린 것이다. 후백색주를 통하여 전달되는 압력과 촉감을 보완하는 기능을 담당하게 되어 국소의 척수 손상시 서로 보완하여 감각이 유지될 수 있게 된다. 척수단면상에서도 archimyelon 에 위치하며 교차도 하지 않는다.

X 전방피질척수로(Anterior Corticospinal Tract)와 전외측피질척수로(Anterolateral Corticospinal Tract)

이 두 척수로는 시작은 외측피질척수로와 유사하며 피라미드를 통과하긴 하지만 이들은 의지적 움직임보다는 운동근육의 협조, 근긴장도를 보조하는 외측피질척수로의 원시적 형태이다. 이들은 척수단면의 구척수(archimyelon)에 위치하며 둘다 교차하지 않는다[그림 6-2, 5-4].

4절 중간단계의 척수로

I 후백색주(Posterior White Column)

후백색주는 조금 더 발달된 고유감각(proprioception)인 의지적 고유감각(conscious proprioception)과 둔한 외부감각인 촉각과 압각을 전달한다.

이들은 후주-내측섬유대로(posterior column-medial lemniscus pathway) 라고도 한다.

경수분절(cervical segment)의 상행 신경섬유들은 흉수분절(thoracic segment)의 하행 신경섬유들 보다 외측에 위치하여 가장 내측에 긴 천수가 위치하고 내측으로 이동하며 요수, 흉수, 경수가 위치하는 구조를 이룬다. 이는 여섯째 흉수분절 상부와 경수분절에서의 후중간중격(posterior intermediate septum)에 의하여 둘로 나뉘는데 내측에 위치한 박속(fasciculus gracilis)이 하지를, 외측에 위치한 설상속(fasciculus cuneatus)은 상지를 담당한다[그림 5-3].

후각을 통하여 척수로에 진입 후 후방 섬유단을 통하여 동측으로 올라간 신경로를 구성하는 척수신경절세포를 일차신경세포(first-order neuron)라고 하며 그 신경섬유는 연수(medulla)의 중계핵인 박핵(nucleus gracilis)과 설상핵(nucleus cuneatus)에 체성국소배열(somatotopically)로 끝난다. 박핵과 설상핵에서 나온 이차신경섬유(second-order fibers)는 전방내측으로 모여서 내궁상섬유(internal arcuate fibers)를 형성하고 반대쪽으로 교차하여 내측섬유대(medial lemniscus)을 형성하고 반대쪽 뇌간(brain stem)을 따라 올라가서 시상(thalamus)의 후외측 시상핵의 미측부분(VPLc)에서 끝난다. 여기서 내섬유막 후측(posterior limb of the internal capsule)을 통하여 뇌피질의 감각영역에서 종지하므로 이 감각은 의식 수준에서 느낄 수 있다[그림 6-9].

이들은 어느 정도는 진보된 기능이지만 아직은 척수의 단면에서 구척수(archimyelon)에 위치하며 발달된 신경로에서 나타나는 교차를 하게 된다. 하지만 경로의 후반부에 교차를 한다[그림 6-2].

Ⅱ 적색척수로(Rubrospinal Tract)

이 신경로의 기능은 굴곡근의 긴장을 조절하는 것이다. 섬유는 중뇌피개

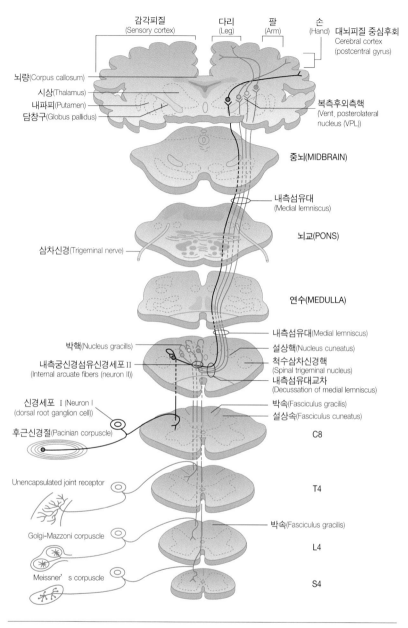

그림 6-9. 척수의 후백색주와 뇌간의 내측섬유대 구성과 주행을 나타낸 모식도

(tegmentum)의 적색핵 거대세포부분에서 시작하여 복측 피개교차(ventral tegmental decussation)를 지나 척수의 외측섬유단을 통하여 제V, VI, VII층판에서 끝난다[그림 6-2, 7, 8]. 굴곡근은 신전근에 비해 보다 발달된 기능이므로 이 신경로는 척수의 단면에서 신척수(Neomyelon)에 위치하며 경로가 시작되는 조기에 교차를 한다.

5절 발달된 척수로

I 외측척수시상로(Lateral Spinothalamic Tract)

외측척수시상로는 제 I와 V 층판에서 시작하여 전백질교련(anterior white commissure)을 통하여 한 척수분절 정도를 가로질러 비스듬히 반대쪽으로 교차한다[그림 6-2, 5-4]. 이렇게 경로의 조기에 교차부터 하는 것은 발달된 전달로의 특징이다. 교차 이후 반대쪽 외측섬유단내에서 외측척수시상로를 형성하여 올라가서 대부분의 섬유는 시상의 후외측 시상핵의 미측부분(VPLc)에서 끝난다.

외측척수시상로는 통증과 온도감을 전달하는데 이들은 매우 예리한 감각으로 가장 진보된 외부감각이므로 척수단면에서 신척수(Neomyelon)에 위치하며 경로의 초기에 교차를 한다[그림 6-2, 10].

II 외측피질척수로(Lateral Corticospinal Tract)

대뇌의 피질세포에서 시작되어 뇌간의 피라미드를 통하여 척수를 따라 내려간다[그림 6-11]. 보다 정확하게는 전중심운동영역(precentral motor area) (영역 4), 전운동영역(premotor area) (영역 6), 중심후방(postcentral gy-

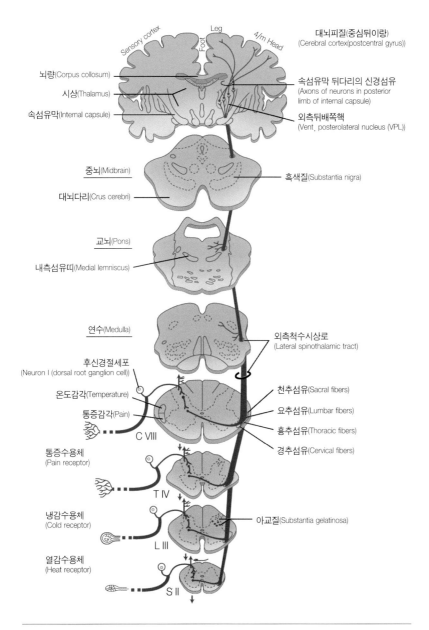

대뇌피질(중심뒤이랑)
(Cerebral cortex(postcentral gyrus))

뇌량(Corpus collosum)

시상(Thalamus)

속섬유막(Internal capsule)

속섬유막 뒤다리의 신경섬유
(Axons of neurons in posterior
limb of internal capsule)

외측뒤배쪽핵
(Vent. posterolateral nucleus (VPL))

중뇌(Midbrain)

대뇌다리(Crus cerebri)

흑색질(Substantia nigra)

교뇌(Pons)

내측섬유띠(Medial lemniscus)

연수(Medulla)

후신경절세포
(Neuron I (dorsal root ganglion cell))

온도감각(Temperature)

통증감각(Pain)

통증수용체
(Pain receptor)

냉감수용체
(Cold receptor)

열감수용체
(Heat receptor)

외측척수시상로
(Lateral spinothalamic tract)

천추섬유(Sacral fibers)

요추섬유(Lumbar fibers)

흉추섬유(Thoracic fibers)

경추섬유(Cervical fibers)

아교질(Substantia gelatinosa)

C VIII

T IV

L III

S II

그림 6-10. 외측척수시상(Lateral spinnothalamic tract)

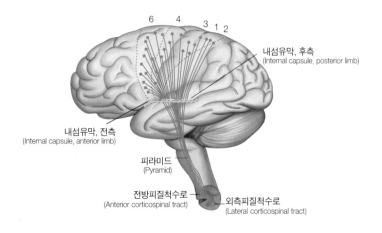

내섬유막, 후측
(Internal capsule, posterior limb)

내섬유막, 전측
(Internal capsule, anterior limb)

피라미드
(Pyramid)

전방피질척수로
(Anterior corticospinal tract)

외측피질척수로
(Lateral corticospinal tract)

그림 6-11. 피질척수로의 모식도

rus) (영역 1, 2, 3a, 3b), 두정엽 피질(parietal cortex) (영역 5)에서 시작
하여 방사관(corona radiata)을 형성한 후 내섬유막(internal capsule)으
로 들어간 후 중뇌에서 대뇌각(crus cerebri)를 형성한다. 이어서 연수에서
피라미드를 형성한 후 연수와 척수의 이행부에서 피질척수로는 (1) 큰 외측피
질척수로(교차성), (2) 작은 전방피질척수로(비교차성) 및 (3) 상대적으로 아
주 작은 전방외측피질척수로(비교차)로 나누어진다[그림 6-12]. 전체 피질척수
로의 약 55%은 경수, 20%은 흉수, 25%은 요천수 부위에서 끝나며 이는 하
지에 비해서 상지의 복잡한 운동이 보다 많은 신경전달로로 조절됨을 의미한
다. 외측피질척수로는 척수를 따라 내려가면서 모든 부위의 회색질로 가지를
내고 중간회색질(intermediate zone)로 들어가서 제 IV, V, VI 및 VII 층판
에서 종지한다[그림 6-2, 13].

피질척수신경세포는 개체의 의지를 반영한 수의운동(volitional move-
ment)을 전달하며 가장 진보된 기능이다. 척수단면의 신척수(neomyelon)
에 위치하고 경로의 조기에 교차를 한다. 이 신경가 시작되는 대뇌피질과 피
라미드는 다소 거리가 있지만 대뇌피질이 뇌발달 후반에 팽창하는 것을 고려

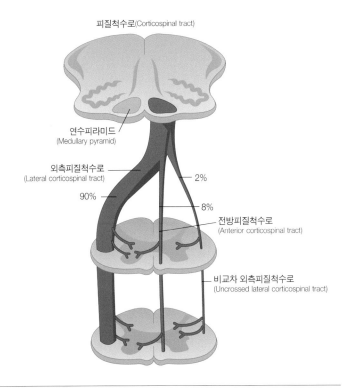

그림 6-12. 피질척수로의 교차 모식도

하면 교차는 경로의 초반에 이루어지는 것이다[그림 6-2].

   중요한 신경전달로들를 기능적으로 발달된 정도에 따라 나열해 보면 발달된 기능을 전달하는 신경로일수록 그 경로가 점차 길어지는 경향이 있으며 신척수(neomyelon)에 위치하고 교차가 나타나는 것을 알 수 있다[그림 6-14].

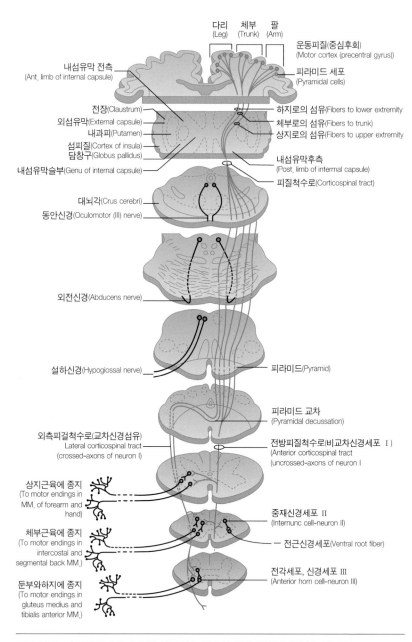

다리 체부 팔
(Leg) (Trunk) (Arm)

운동피질(중심후회)
(Motor cortex (precentral gyrus))

내섬유막 전측
(Ant. limb of internal capsule)

피라미드 세포
(Pyramidal cells)

전장(Claustrum)
외섬유막(External capsule)
내과피(Putamen)
섬피질(Cortex of insula)
담창구(Globus pallidus)
내섬유막슬부(Genu of internal capsule)

하지로의 섬유(Fibers to lower extremity)
체부로의 섬유(Fibers to trunk)
상지로의 섬유(Fibers to upper extremity)

내섬유막후측
(Post. limb of internal capsule)
피질척수로(Corticospinal tract)

대뇌각(Crus cerebri)
동안신경(Oculomotor (III) nerve)

외전신경(Abducens nerve)

설하신경(Hypoglossal nerve)

피라미드(Pyramid)

피라미드 교차
(Pyramidal decussation)

외측피질척수로(교차신경섬유)
Lateral corticospinal tract
(crossed-axons of neuron I)

전방피질척수로(비교차신경세포 I)
(Anterior corticospinal tract
(uncrossed-axons of neuron I

상지근육에 종지
(To motor endings in
MM. of forearm and
hand)

중재신경세포 II
(Internunc cell-neuron II)

체부근육에 종지
(To motor endings in
intercostal and
segmental back MM.)

전근신경세포(Ventral root fiber)

둔부와하지에 종지
(To motor endings in
gluteus medius and
tibialis anterior MM.)

전각세포, 신경세포 III
(Anterior horn cell-neuron III)

그림 6-13. 수의적인 숙련 운동에 관여하는 주요한 외측, 전방피질척수로의 모식도

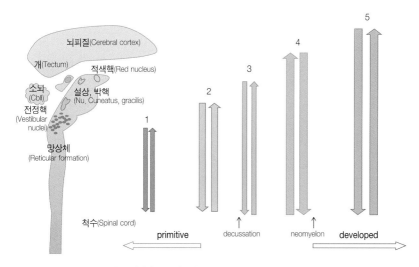

1. 척수망상로, 망상척수로, 척수내측종지(Spinoreticular tr., Reticulospinal tr., Spinal MLF)
2. 진정척수로, 척수소뇌로(Vestibulospinal tr., Spinocerebellar tr.)
3. 개척수로, 척수개로(Tectospinal tr., Spinotectal tr.)
4. 적색척수로, 후백주(Rubrospinal tr., Post. white column)
5. 피질척수로, 척수시상로(Corticospinal tr., Spinthalamic tr.)

그림 6-14. 신경전달로들 기능적 발달에 따른 길이 및 교차 관계

참고문헌

1. 대한척추신경외과학회: 척추학, 군자출판사, 2008
2. 대한 신경외과 학회: 신경외과학 개정 4판: 중앙문화사, 2012
3. 이원택 박경아 공저: 의학 신경 해부학, 제2판, 서울: 고려의학
4. 허영범 외 공역: 신경해부학(clinical neuroanatomy), 27판, 서울: 범문에듀케이션,2014
5. Carpenter MB: Core text of Neuroanatomy, ed 4th. Maryland: Williams & Willkins, 1991

척수신경질환, 척수손상

척수신경질환, 척수손상

○ 이장보, 문홍주

 ## 1절 신경근병증(Radiculopathy)

신경뿌리는 경막낭(dural sac) 내에 있는 말초신경이며 감각신경인 후근 (dorsal root)와 운동신경인 전근(ventral root)를 말한다. 두 가지 신경뿌리 는 경막낭 밖에서 합쳐져서 짧은 혼합신경인 척수신경(spinal nerve)을 이 루고, 이 신경은 곧 다시 얇은 전지(ventral ramus)와 좀 더 두꺼운 배지 (dorsal ramus)로 나누어진다[그림 7-1]. 척수신경이 지배하는 영역을 분절이 라고 하며 감각신경분절의 지배영역은 피부분절, 운동신경분절의 지배영역 은 근육분절이라고 한다. 신경근병증은 보통 피부분절을 따라 방사통을 동 반하며 신경병소의 위치와 정도에 따라 해당 근육분절의 근위축과 건반사소 실이 나타날 수 있고, 신경근분절의 분포에 따라 단일신경병과 감별할 수 있 다[표 7-1]. 경추신경근증에서 목을 펴고, 동시에 통증방향으로 외굴(lateral flexion)을 할 때 통증이 악화되거나(Spurling 징후), L5, S1 신경근병증에 서 하지직거상(strainght-leg raising)징후가 나타나면 병소의 위치를 찾는

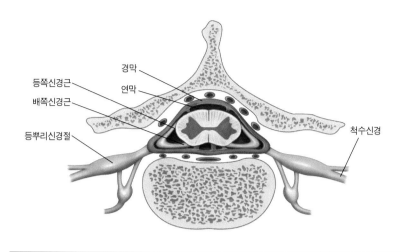

그림 7-1. 척수신경근과 분지

표 7-1. 신경근의 위치에 따른 임상징후

신경근	위치 통증 및 감각이상 부위	운동이상 (근력저하)	건반사 이상
C5	어깨	어깨세모근	두갈래근반사
C6	아래팔, 엄지와 검지	두갈래근, 위팔근	두갈래근반사
C7	검지와 중지	세갈래근	세갈래근반사
C8	안쪽 아래팔, 환지와 약지	엄지외전근, 손가락폄근	세갈래근반사
T1	위, 아래팔 안쪽	엄지와전근, 손가락폄근	없음
L1	샅굴	없음	없음
L2	허벅지 앞과 내측	엉덩허리근	없음
L3	안쪽 허벅지와 무릎	대퇴사두근, 고관절내전근	무릎반사
L4	안쪽 다리	발목굽힘근	무릎반사
L5	가쪽 다리, 발등	발가락폄근	없음
S1	발바닥, 외측 발	발가락굽힘근	발목반사
S2~4	항문주위	없음	망울해면체근반사

* 해당 신경근이 지배하는 대표적인 근육명칭이며 근전도검사에서 흔히 이용되는 근육임

데 더욱 도움이 된다.

신경근은 말초신경을 침범하는 많은 질환에 취약하며, 비록 견고한 뼈로 구성된 통로에 둘러 싸여 있지만 압박과 신장(stretch)손상을 받기 쉬운 민감한 구조물이다. 또한 척수액에 담겨 있기 때문에 연수막(leptomeninges)을 침범하는 감염, 염증, 신생물 질환에도 노출되어 있다. 대부분의 신경근병증은 추간판질환에 의해 발생한다. 경추와 흉추의 추간판탈출은 척수신경을 직접 압박하는 경우가 많고, 요천추추간판탈출은 마미(cauda equina)을 압박하게 되는데 바로 아래 분절의 신경근의 압박이 가장 심하게 나타난다. 추간판탈출에 의한 방사통이나 척추움직임에 의한 통증이 사라진 후에도 신경계 징후가 남아 있는 경우가 많기 때문에 세심한 병력청취가 필요하다. 척추 X선과 MRI는 신경계증상과 척수 및 신경근 압박부위를 비교하여 진단과 치료를 결정하는데 도움이 된다. 급성기에는 안정을 취하는 것만으로 통증이 없어지는 경우가 많고 이와 병행하여 진통제, 찜질, 견인치료 혹은 국소주사치료와 같은 보존치료를 시도할 수 있다. 2~4주 이상 심한 통증이 지속되거나 자주 재발하는 경우, 혹은 운동마비나 배뇨장애와 같은 신경계징후가 뚜렷한 경우는 수술치료를 고려하여야 한다. 추간판탈출 외에도 횡돌기(transverse process)나 비대해진 인대에 의한 척추증(spondylosis), 신경초종(nerve sheath tumor), 외상, 대상포진, 매우 드물지만 당뇨병이 단일 신경뿌리병의 원인으로 알려져 있다.

다발성신경근병증(polyradiculopathy)의 원인으로는 척추증(spondylosis), 척추전방위증(spondylolisthesis), 중심추간판탈출증과 같은 퇴행척추질환은 물론 지주막염, 당뇨병, 진드기물림에 의한 라임병이나 결핵과 같은 감염질환, 염증질환, 신생물질환, 방사선노출 등이 있다. 특히 근전도검사에서 통증이나 감각증상이 없는 다발성신경근병증 이 의심된다면 운동신경세포질환의 가능성을 고려하여 상, 하지 모두 근전도검사를 하여야 한다. 이와 같이 신경근병증을 일으키는 원인질환에 따라 말초신경병이나 척수병이 동반되기도 하며 말초신경이나 척수의 질환이 신경근병증의 임상증상을 보이기도 하므로 세심한 신경학적진찰과 검사를 통해 병소의 위치와 원인을 파악하여야 한다.

 2절 척수병(Myelopathy)

Ⅰ 염증성척수질환

1. 감염척수질환

1) 바이러스척수염

(1) 사람면역결핍바이러스

(2) 사람T세포림프친화바이러스

(3) 장바이러스

대표적인 장바이러스(enterovirus) 원인균은 폴리오바이러스(polio-virus)이다. 예방접종으로 발병빈도가 많이 줄었지만 현재도 드물게 보고되고 있다. 폴리오바이러스는 주로 척수의 전각세포(anterior horn cell)에 침입하여 이완근쇠약과 근위축, 근섬유다발수축, 무반사와 같은 하위운동신경세포징후를 유발한다. 하지만 감각과 괄약근 기능은 정상이다. 근쇠약은 감염 후 48시간 동안 빠르게 진행하거나 수주에 걸쳐 서서히 진행한다. 감염 환자의 1~2%만 신경합병증을 보이며 효과적인 치료는 없다. 근쇠약은 나이가 들면서 진행하기도 한다(소아마비증후군, postpolio syndrome). 콕사키바이러스(coxsackievirus), 에코바이러스(echovirus), 감염A바이러스, 특히 엔터로바이러스71이 비슷한 증상을 보인다.

(4) 기타바이러스

2) 세균척수병

(1) 매독

(2) 결핵

(3) 기타세균척수병

3) 곰팡이와 기생충 척수병

2. 비감염성척수질환

1) 특발성횡단척수염

특발성횡단척수염(idiopathic transverse myelitis)은 연간 발생률이 인구 백만 명 당 1~8명으로 매우 드문 질환이다. 주로 10대와 30대에 발생하고 환자의 30~60%에서 다양한 감염이 선행된다. 감염의 원인균은 대부분 알 수 없지만 엡스타인-바 바이러스(Epstein-Barr virus), 거대세포바이러스와 미코플라스마 등이 흔하다. 그러나 이 병과 감별해야 할 길랭-바레증후군의 원인이 되는 공장캄필로박터(Campylobacter jejuni)는 척수염을 일으키지 않는다. 이병의 진단기준은 표 7-2와 같다.

성인에서 자주 발생하는 위치는 중간흉부척수(midthoracic)인 데 반해, 소아는 경부척수에 더 빈번하게 발생한다. 75~90% 환자는 일회성이지만, 다초점(multifocal) 척수병터, 뇌의 탈수초병터나 혼합성결체조직질환(mixed connective tissue disease)이 동반된 경우, 올리고클론띠(oligo-clonal band)양성, 혹은 혈청 자가항체가 양성이면 재발 가능성이 높다. 이 질환은 주로 세포면역반응에 의해 발생하지만 체액요소(humoral factor)도 어느 정도 역할을 한다. 병소는 백질뿐만 아니라 회질도 같이 침범한다. 뇌척수액은 세포증가(10~100개/mm^3)와 당백질증가를 보이지만 당은 정상이다. 올리고클론띠는 대개 음성이고 T2 강조영상에서 2개 이상의 척추분절에 해당하는 신호이상이 특징이다. 간혹 특발성횡단척수염 환자가 MRI에서 3개 이상의 척추분절에 해당하는 신호이상을 보이는 세로광범위횡단척수병

표 7-2. 특발횡단척수염의 진단기준

선정기준

- 척수손상에 의한 감각, 운동 또는 자율신경장애
- 양측 징후 또는 증상(대칭일 필요는 없음)
- 분명한 감각수준(sensory level)
- MRI 또는 척수조영술 결과 신경축외 압박 병터가 아님
- 뇌척수액세포증가증 또는 IgG지수 상승 또는 가돌리늄 조영증강으로 척수의 염증이 증명된 경우. 초기에 염증소견이 없다면 발병 후 2일 내지 7일 사이에 MRI와 척추천자를 다시 실행함
- 증상 발현 후 4시간 내지 21일 사이에 증상이 최고조에 도달

제외기준

- 지난 10년 이내에 척추에 방사선조사를 받은 병력
- 전척수동맥혈전증에 해당하는 동맥영역의 임상장애
- 동정맥기형에 합당한 척수 표면의 비정상적 흐름공백(flow void)
- 결합조직병의 혈청학 혹은 임상 증거(사르코이드증, 베흐체트병, 쇼그렌증후군, 루푸스, 혼합결합조직병 등)
- 매독, 라임병, 사람결핍면역바이러스, 사람T림프친화바이러스-1, 미코플라스마, 다른 바이러스 감염(즉, 1형과 2형단순헤르페스바이러스, 수두대상포진바이러스, 엡스타인-바바이러스, 거대세포바이러스, 장바이러스)의 중추신경계 증상
- 다발경화증을 시사하는 비정상 뇌MRI
- 임상적으로 명백한 시신경염의 병력

(longitudinally extensive transverse myelopathy; LETM) 소견과 더불어 혈청NMO-IgG 양성이면 시신경척수염스펙트럼(NMO spectrum)의 가능성이 있다.

가장 널리 사용되는 치료는 고용량 스테로이드 정맥주사(IV methyl-prednisolone 1 g/1.73 m^2/일)를 3일 혹은 5일간 사용하고 나서 경구 스테로이드를 14일간 투여하는 방법이다. 스테로이드에 반응이 없거나 중등도 이상 심한 환자라면 혈장교환술(plasma exchange)을 고려해야 한다. 2회 이

상 재발한 환자라면 최소 2년 이상 경구 면역조절치료가 필요하며, 아자티오프린(azathioprine, 150~200mg/일), 메토트렉세이트(methotrexate, 15~20mg/주) 혹은 미코페놀레이트(mycophenolate, 2~3g/일) 등을 사용한다. 대부분 환자는 8주 이내 어느 정도 증상의 호전을 보이며, 3~6개월 이후에는 회복의 속도가 느리다. 환자의 1/3은 거의 후유증 없이 회복되지만 다른 1/3의 환자는 심한 장애가 남는다.

Ⅱ 혈관성 척수질환

1. 척수경색

1) 원인

척수경색(spinal cord infarction)은 전척수동맥에서 후척수동맥보다 흔하게 발생한다. 척수경색은 뇌경색에 비해 매우 드물고 뇌경색의 주요 원인인 죽상경화(atherosclerosis)나 혈전폐색(thrombotic occlusion)보다는 대동맥죽종(aortic atheroma)이나 흉복부동맥류(thoracoabdominal aneurysm)의 수술합병증으로 발생한다. 대동맥의 혈류를 30분 이상 차단해야 하는 심장이나 대동맥수술은 척수경색의 발생 가능성을 매우 높인다. 이 외에도 전신루푸스, 매독혈관염, 박리대동맥류(dissecting aortic aneurysm), 세균심내막염, 임신, 겸상적혈구병(sickle cell disease)혈관조영술에 사용되는 조영제, 척수동맥을 압박하는 종양, 심정지 후의 전신동맥저혈압, 척수동정맥기형의 수술 합병증, 코카인중독, 잠함병(caisson disease) 등이 척수경색의 원인이 될 수 있다. 원인은 알 수 없는 경우도 많다.

2) 임상양상

수분 혹은 수시간에 걸쳐 급성으로 증상이 나타난다. 초기 증상으로 심한 통증이 등쪽 혹은 양쪽 다리에 발생할 수 있다. 목 부분의 전척수동맥이 막히면 사지마비가 생기고 병터 하부의 감각장애와 대, 소변장애가 동반된다.

전척수동맥경색에서는 위쪽 경부 병소가 있는 경우가 아니라면 척수시상로의 손상으로 통증과 온도감각은 소실되나 후백색주(posterior white column)의 보존으로 진동과 위치감각은 유지되는 해리감각결손(dissociated sensory deficit)이 나타난다. 자율신경계도 손상을 받으며, 전각세포(anterior horn cell)가 괴사하여 하위운동신경 세포장애가 생기고, 그 아래로는 상위운동신경세포장애가 생긴다. 급성기에는 무반사이완하반신불완전마비(areflexic flaccid paraparesis)나 사지마비와 해리감각결손을 보이지만, 수주가 지나면 경직과 과다반사가 나타난다. 열구동맥지(sulcal arterial branch)경색에 의해 회질만 손상을 받으면 하위운동신경세포장애로 근위축만 관찰된다.

척수경색의 증상은 발생한 위치에 따라 다르다. 척수혈관 분포에 따라 분수계영역(watershed area)인 중간 흉부척수에서 흔하다고 알려져 있었으나, 최근에는 하부 흉부척수 또는 흉·요추척수 경계부에서 더 흔하다고 보고되었다. 경색부위에 따라 C3에서 C5 경부척수경색은 호흡장애를 일으키고, T4에서 T9 중간흉부척수경색은 대내장신경(greater splanchnic nerve)을 통한 혈관운동긴장도(vasomotor tone) 조절장애로 기립저혈압을 초래한다. 후척수동맥경색은 매우 드물며, 주로 척수수술이나 척추동맥박리에 의하여 발생한다. 병소아래 고유감각과 진동감각의 소실이 주된 증상이다. 때때로 전척수동맥과 후척수동맥의 경계구역에 위치한 피질척수로를 침범하여 근력약화를 초래한다.

3) 진단

척수경색이 의심되면 우선 MRI 검사를 통하여 다른 원인을 감별해야 한다. 특징적으로 척수의 비대와 선형의 고신호강도가 각각 T1 및 T2강조영상에서 관찰된다. 그러나 척수경색 발생 첫 수시간 혹은 하루 이내에 촬영한 경우에는 정상으로 보이기도 하며 확산강조영상이 도움이 될 수 있다.

4) 치료 및 예후

척수동맥경색의 표준화된 치료방법은 없고 원인질환에 따라 달라진다. 예를 들어, 혈관염에 의한 경우라면 스테로이드를, 동맥박리가 원인이면 항응고제를 사용한다. 하행대동맥박리나 대동맥류 수술 후 발생한 척수경색에 대해 혈압상승을 유도하고 CSF 배액술을 하는 치료법이 제안된 바 있으나 그 효과는 불확실하다. 이 외에 날록손이나 칼슘통로차단제 등을 사용할 수 있다. 척수동맥경색으로 인한 사망률은 10~20%, 독립보행이 가능할 정도의 회복은 11~46%로 보고되었다. 회복 후에도 배뇨 및 배변장애, 성기능저하, 만성통증 같은 후유장애를 남기는 경우가 많다.

2. 척수혈관기형

척수혈관기형으로 나타나는 임상질환으로는 허혈성과 출혈성 모두 발생이 가능하나 실제로는 척수혈관기형은 출혈보다는 허혈척수병을 야기하는 것으로 알려져 있다. 이 모두 신경영상검사에서 유동공백(flow void)이나 척수내로 출혈이 있으면 의심해야 한다. 척수혈관기형의 종류는 세 가지이며, 이 중에서 가장 흔한 형태가 경막동정맥루(dural arteriovenous fistula)이다. 그리고 척수내(intramedullary) 혹은 경막내척수주위(intradural perimedullary) 동정맥기형(arteriovenous malformation)이 있다.

경막동정맥루의 호발부위는 하부 흉부척수와 척수원뿔이며, 서서히 진행되는 하지의 근력약화와 다양한 감각장애가 주된 증상이다. 운동을 하거나 발살바수기(valsalva maneuver)를 하면 정맥압이 증가하면서 증상이 일시적 혹은 영구적으로 악화되는 특징을 보이기도 한다. 선택적혈관조영술을 하여 척수표면이나 척수를 둘러싸는 경막 내에 누공(fistula)과 조기배출정맥(early draining vein)이 확인되면 확진할 수 있다. 어떤 종류의 기형이든 치료를 빨리 시작하는 것이 중요하며, 특히 마비와 같은 증상이 빨리 진행하는 경우 치료를 서둘러야 한다.

3. 경추척추관협착증

가장 움직임이 크고 운동량이 많은 제 5~6 경추(C5~C6) 사이를 중심으로 바로 위(C4~C5)와 아래(C6~C7)에서 잘 발생하며, 한 부위에만 국한되지 않고 여러 부위에 걸쳐 발생한다. 전방에서는 변성된 추간판과 골극의 돌출에 의해, 후방에서는 비후된 황색인대에 의해 경부척수 및 척수신경근이 압박을 받는다. 또한 경추의 움직임(굴곡 및 신전등)에 따라 간헐적이고 반복적인 손상이 가해지기도 하고, 척추증(spondylosis)에 의한 척수혈류장애 등이 발생하여 신경손상이 초래된다. 특징적으로 (1) 경부통(통증 및 뻣뻣함), (2) 상지통, (3) 상지의 운동 및 감각이상소견, (4) 척수병의 증상들이 단독 혹은 여러 조합으로 나타날 수 있다. 목 또는 어깨에 척수신경근을 따라 나타나는 통증이 가장 흔하며 주로 50세 이후에 나타나고 통증과 함께 목굽힘이나 회전의 제한이 발생하기도 한다. 증상의 완화와 악화가 반복되면서 수개월 혹은 수년에 걸쳐 서서히 진행되지만 외상을 받으면 급속하게 악화된다. 압박 척수병으로 인해 하지가 경직되고 무거운 느낌이 들기도 하며, 보행이 불안정해지기도 한다. 특히 운동 후에는 급격히 힘이 빠지는 느낌이 든다. 진찰 시 하지의 반사항진이 근력약화보다 더욱 현저하다. 양측에서 바빈스키 징후가 나타나는 경우가 많다. 또 발바닥과 발목 주위에 무딘감, 얼얼한 느낌, 쑤시는 느낌 등이 있고, 발가락과 발에 진동감각과 위치감각이 감소된다. 척수병이 진행되면, 배뇨 시 약간의 주저나 다급함이 발생할 수 있으나 실제로 실금은 그리 흔하지 않다. 가끔 근위축, 근다발수축등이 나타나기도 하며 심한 경우에는 척수횡단손상증상이 나타난다.

경추척추관협착증으로 인해 주로 발생되는 압박에 의한 척수병은 (1) 횡단 척수병, (2) 운동증후군, (3) 중심척수증후군, (4) 브라운-세카르증후군 (Brown-Séquard syndrome), (5) 상완신경통과 척수증후군 같은 형태이다.

척추관협착증이 의심되면 단순 X선과 MRI를 촬영하여 추간판의 변성과 척수압박의 유무 및 정도를 알 수 있다. 보통 측부 단순경추X선에서 전후 간격이 12mm 이하인 경우에는 경추 척추관협착증을 의심해야 한다. MRI는

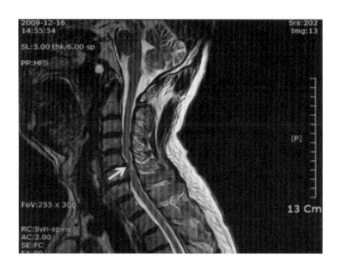

그림 7-2. 양손의 무력감과 고개를 숙일 때 양손의 감각증상을 호소한 63세 남자의 경추 MRI. C5~C6 위아래부위에 심한 척추관협착과 척수변성소견(화살표)이 있다.

골극(osteophyte)에 의한 척수압박이 실제보다 과대평가될 수 있으나 척수압박의 정도와 위치를 진단하는 데 유용하다[그림 7-2].

경추가 신전된 상태에서 촬영하여 황색인대비후에 의한 후방으로부터의 압박 여부를 알아보는 것이 중요하며, CT척수조영술을 같이 하면 훨씬 효과적이다.

감별진단이 필요한 질환은 (1) 다발경화증, (2) 근위축축삭경화증, (3) 굵은 섬유신경병(large fiber neuropathy)(후천성, 염증성, 면역성), (4) 척수의 아급성연합변성(subacute combined degeneration), (5) 척수종양 등이다.

비교적 오랫동안 간헐적이고 느리게 진행되는 경우 치료방법 선택이 어려운 경우가 많다. 주로 활용되는 목 보조기착용 같은 보존적인 치료는 경부통이나 상지통 또는 신경근증상인 이상감각이 있는 경우에 하며, 견인요법도 효과적이다. 보존치료로는 호전되지 않는 지속적인 방사통이 있거나, 상지근력저하 혹은 척수손상증상 등이 나타나서 진행하는 경우에 수술을 한다. 진단이 지연되어 신경조직에 비가역성 변화가 발생되기 전까지는 적절한 치료를 선택하면 대부분 증상이 개선되는 경우가 많다. 그러나 장기적으로 수술치료가 기대에 미치지 못하는 경우도 있다.

4. 척수의 방사선 손상

척수의 방사선손상은 일과성 척수병 혹은 지연진행형척수병으로 나타난다.

일과성 척수병은 방사선치료 후 약 3~6개월 뒤에 나타나는 방사선척수병으로 사지의 감각이상이 주된 증상이다. 이 증상은 목의 굽힘에 의해 유발되거나 악화된다(레미떼징후; Lhermitte's sign). 대개 수개월이 지나면 감각이상 증상은 회복된다. 지연진행형의 방사선척수병(radiation myelopathy)은 뒤따르지 않는다.

지연진행형방사선척수병은 흉추 및 경추부위 종양에 대한 방사선치료 후 가장 흔한 합병증으로 대개 치료 6개월 후 혹은 12~15개월 사이에 많이 발생한다. 발생빈도는 대략 2~3% 정도로 추정하고 있다.

방사선치료 후 초기에는 감각이상증상이 느리게 진행된 후 한쪽 혹은 양하지의 근력이 약화되며, 초기에 국소 통증이 없다는 것이 척추 전이종양과 구분된다. 척수증상은 브라운-세카르증후군의 형태에서 차츰 횡단척수염의 형태로 진행하여 경직하반신마비, 몸통에서 수준(level) 이하의 감각소실 및 괄약근의 장애 등을 동반한다. 뇌척수액소견은 소수에서 단백질 양이 약간 증가하는 것을 제외하고는 정상이다. MRI는 T1강조영상에서는 신호가 감소하고 T2강조영상에서는 신호가 증가되며, 초기에는 척수가 비대해질 수 있고 가돌리늄주사에 의해 조영증강된다. 척수병터는 비교적 방사선이 조사된 부위와 일치하면 방사선효과에 의한 척추체 골수의 변화로 확인할 수 있다. 또한 척수병터는 일반적인 혈관성 및 탈수초병터보다 더 광범위한 영역에 분포하는 경향이 있다. 총조사량이 6,000 cGy 이하이며 조사기간이 30~70일이내, 혹은 하루 200 cGy 이하를, 매주 조사량이 900 cGY를 넘지 않으면 척수의 방사선손상을 대게 피할 수 있다. 스테로이드 투여 후 신경학적 기능이 일시적으로 호전되었다는 보고가 많다.

5. 척수공동증

척수공동증은 뇌척수액과 세포외액(extracelluar fluid)과 비슷한 액체를 함유하고 있는 척수의 낭종성 공동으로 그 공동은 중심관(central canal)이 확장됨으로써 형성될 수 있고 혹은 척수 실질내에 위치할 수도 있다. 그 공동은 내부가 상의세포(ependymal cell)로 구성될 수도 있고 신경교 세포로 둘러 싸일 수 있다.

척수공동증은 전형적으로 통각과 온도각은 소실되고 가벼운 접촉각과 고유운동감각은 유지되는 해리성 감각소실을 특징으로 하고 천천히 진행하는 원위부 운동장애를 나타낼 수도 있다. 공동이 연수(medulla)까지 확장되어 하부 뇌간 장애를 일으키는 병적 상태를 연수공동증(syringobulbia)이라고 한다. 중심관의 병적으로 확장된 상의세포로 둘러싸인 공동을 척수수종(hydromyelia)이라고 하며 이를 합하여 척수수종공동증(syringohydro-myelia 또는 hydrosyringomyelia)이라 칭하기도 한다.

1973년에 Barnett에 의해 척수공동증이 크게 교통성 척수공동증(com-municating syringomyelia)과 비교통성 척수공동증(noncommunicat-ing syringomyelia)으로 분류 되었다. 교통성 척수공동증은 Chiari 기형과 기저부 거미막염(basilar arachnoiditis)과 연관되며 비교통성 척수공동증은 잠재성 척추유합부전(occult spinal dysraphism), 척수외상, 척수종양, 척추 지주막염 등과 관련이 있다. 현재까지 척수공동증의 발생기전은 정확히 밝혀지지 않았다.

외상후 공동성 척수병증은 손상후 2~3개월부터 30년까지 다양하게 발병한다. 척수손상 환자의 4~10%의 환자에서 공동 확장에 의한 진행성 척수장애을 보일 수 있다[그림 7-3]. 외상과 관계된 공동은 병리학적, 임상적으로 교통성 척수공동증과 다르다. 척수공동은 척수 실질을 비대칭적으로 침범하며 중심관과는 연관이 없으며 연질막 표면으로 확장되며 신경핵과 신경로의 비

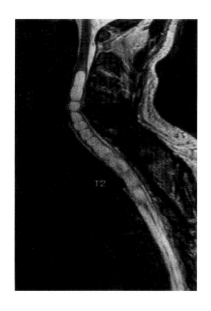

그림 7-3. 외상후 척수공동증
2번 흉추 분쇄골절과 척수주위에 유착소견이
보이며 경수와 흉수부에 척수공동증 소견이
보인다.

가역성 손상을 보인다. 초기 공동 형성의 가능한 인자로 혈관 폐쇄로 인한
허혈, 세포내 효소, 혈종의 용해, 초기손상시의 기계적 손상, 지연성 지추막
유착에 의한 결박등이 있다. 외상후 척수공동증은 T2-강조 자기공명영상의
유동공백징후(flow-void sign)에 따라 고압형(high pressure type)과 저
압형(low pressure type)이 있으며 척수절개술에 의해 고압형 공동 내부의
액체가 배출될 경우 신경학적 호전의 가능성 높다.

3절 척수손상의 해부, 병리학적 고찰

I 일차 손상과 이차 손상

일차 손상이란 척추 운동 분절의 급격한 탈골과 골절편의 전위로 신경이 압박되어 받는 손상을 말하며 이차 손상은 일차 손상 후 생화학적인 기전에 의해 손상이 진행하는 것을 말한다. 과거의 척수 손상에 관계된 연구는 이차 손상의 파급을 막으려는데 주안점이 맞춰있었다. 그러나 이차 손상은 여러 단계의 복잡한 과정이 종합되어 발생하므로 어떤 한 가지 기전을 막는다고 해결되지 않는 문제를 가지고 있다.

Ⅱ 완전 손상과 불완전 손상

완전 손상과 불완전 손상으로 나눈다. 불완전손상은 다시 전척수증후군(anterior cord syndrome), 후척수증후군(posterior cord syndrome), 중심척수증후군(central cord syndrome), 측방척수증후군(lateral cord syndrome) 또는 브라운-세카르증후군(Brown Sequard syndrom) 및 신경근증후군(root syndrome)등 으로 구분한다. 그 외에 척추골절은 있으나 신경장애가 없는 정상 신경기능군도 있다.

1. 완전 손상

손상부위 이하의 운동 및 감각기능이 완전히 소실된 상태를 말한다. 심부건반사의 유무만 가지고는 완전손상과 불완전손상을 감별할 수 없을 뿐만 아니라 예후판정에도 신빙성 있는 지표가 되지 못한다.

2. 불완전 손상

이것은 손상부위 이하에서 운동 또는 감각기능이 약간이라도 남아 있는 상태를 말하며 완전손상시에는 회복의 가능성이 거의 없으나, 불완전 손상시에는 적절한 치료로써 상당히 호전되는 경우가 많다. 불완전 척수손상시에는 어느 한가지 전형적인 증후군보다는 운동 및 감각장애가 복합되어 있는 불완전 복합 손상으로 나타나는 경우가 많다.

1) 경부간부증후군(cervicomedullary syndrome)

상위 경수와 뇌간부 손상을 동반하는 증후군으로 십자형마비(cruciate paralysis) 양상을 보인다. 기본적인 증상으로 호흡 부전, 사지 운동 부전, 경추부위와 안면 감각이상이 있다. 경수간부손상은 하지에 비해 상지 운동 마비가 현저해 중심척수 증후군(central cord syndrome)과 비슷한 양상을 보인다.

2) 전척수증후군(anterior cord syndrome)

보통 굴곡 손상 시에 발생된다. 전척수 동맥은 척수의 전방 2/3에 분포하기 때문에 추체의 골절 시 발생된 골편이나 파열된 추간반이 전척수 동맥을 직접 압박하여 발생되는 것으로 추정되나 이러한 혈관의 손상이 없이도 척추의 전방이 심하게 압박된 상태에서 발생되기도 한다. 이 경우 피질척수로 (corticospinal tract)와 외측 척수 시상로(lateral spinothalamic tract)의 손상으로 인하여 심각한 운동장애와 더불어 통각 및 온도각의 손상이 나타난다. 하지만 척수후방 1/3에 해당되는 후주(posterior column)에는 손상이 없기 때문에 촉감, 진동감(vibration sense) 및 위치감(position sense) 등은 비교적 남아있다[그림 7-4-a].

3) 중심척수증후군(central cord syndrome)

심한 척추증(spondylosis)이나 또는 척추관 협착증(spinal canal stenosis)이 있는 중년 또는 노인에서 경추부 과신전손상(hyperextension injury)을 당했을 경우 흔히 발생하며 척추골절이나 전위 없이도 흔히 발생한다. 이것은 보통 제 5, 6, 7 경추부에 호발하는데 척수의 중심부에 출혈이나 부종 등이 발생된 경우에 나타난다. 우리 몸의 운동신경을 주로 담당하는 피질척수로는 경추부, 흉추부, 요추부순으로 중심부에 위치하기 때문에 중심부의 출혈은 상대적으로 경추부의 운동신경의 손상을 더 유발하며 이에 따라 운동 장애는 상지가 하지보다 더욱 심하며 특히 상지의 말단부(손, 손

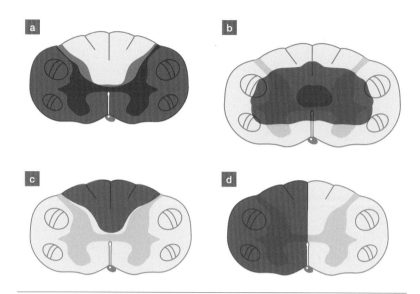

그림 7-4. 척수신경로와 불완전 척수손상의 종류. **a.** 전척수 증후군(anterior cord syndrome), **b.** 중심척수 증후군(central cord syndrome), **c.** 후방 척수 증후군(posterior cord syndrome), **d.** 측방 척수 증후군(brown-sequard syndrome)

가락 등)에 마비가 심하다. 지각장애는 불규칙하고 다양하게 나타나는 것이 보통이나 통각이나 온도감각은 양측에서 소실될 수 있고 촉각, 진동감, 위치 감 등은 부분적으로 비교적 남아 있게 된다. 이러한 환자들중 일부는 시간 이 경과함에 따라 증세의 호전을 보이나, 때로는 어느 정도 이상은 호전 없 이 양상지의 말단부에 운동장애를 남기게 된다[그림 7-4-b].

4) 후방척수증후군(posterior cord syndrome)

후방 척수동맥의 손상으로 인하여 척수 후방으로 지나가는 감각신경의 기 능은 소실되나 운동신경이나 통각은 소실이 없다. 하지만 후방 척수동맥은 양측으로 2개가 분포하기 때문에 동시에 손상을 받기는 어려워 실제 임상에 서는 거의 관찰되지는 않는다[그림 7-4-c].

5) 브라운-세카르증후군(brown-sequard syndrome)

척수의 한쪽 반이 손상을 당한 경우로서 손상당한 동측 하부에 운동마비와 척수후방을 지나가는 모든 지각섬유의 기능(촉감, 위치감, 진동감 등) 소실이 있고, 반대측 하부에는 통각과 온도감각의 소실이 있다. 이러한 증상은 대개 외상의 경우보다는 척수종양 환자에서 주로 관찰되는 소견으로 척수손상에서는 드물게 척수가 한쪽만 칼로 찔리거나 총상을 당한다던지 또는 회전손상으로 인하여 척수의 한쪽에만 손상이 있을 때 드물게 관찰된다[그림 7-4-d].

6) 척수원추증후군(conus medullaris syndrome)

제 11흉추부터 제 1요추사이는 움직임이 없는 흉추가 움직임이 비교적 많은 요추 부위로 이행하는 부위로 손상이 많은 부위로 이 부위 손상 시 원추증후군 증후군이 발생한다. 이 손상은 초기에 하위신경원성 마비가 발생하고 시간이 지남에 따라 상위 신경원성 마비가 같이 나타날 수 있다.

7) 마미증후군(cauda equina syndrome)

척수는 제1/2요추부사이에서 끝나고 그 하위부는 마미총으로 이행하는데 이 부위 손상시 마미증후군이 발생한다. 이 부위는 중추신경이 아닌 말초 신경에 해당하므로 위에 언급한 척수 손상에 비해 좋은 예후를 보여 일부 말초신경의 재생이 있을 수 있고 중추 신경에서 보이는 이차 손상이 발생하지 않는다.

Ⅲ 상, 하위 운동신경 손상

1. 하위 운동신경세포(Lower Motor Neuron)

횡문근을 지배하는 전각신경세포와 전근 통하여 척수를 나가는 그 축삭은 해부학적 및 생리학적 단위를 이루므로 최종 공통신경로(final common pathway) 혹은 하위운동신경 세포 라고 한다. 전각신경세포 혹은 그 축삭의 손상이나 질환으로 근육의 마비, 근긴장 소실 및 즉각적인 근위축이 나타난다. 반사궁이 파괴되었으므로 근긴장성 반사는 일어나지 않는다. 이러한 증상은 소아마비나 전각경세포를 침범한 다른 질환 및 전근이 절단된 경우에 관찰된다.

2. 상위 운동신경세포(Upper Motor Neuron) 손상

하행신경계로 전달되는 자극의 직접적이거나 간접적인 영향으로 전각신경세포는 활성화된다. 비록 모든 하행척수신경계가 어느 정도 하위운동신경세포에 영향을 미치지만, 피질척수로는 임상적으로 매우 중요하기 때문에 상위운동신경세포라고 한다. 상위운동신경세포의 손상은 부전마비(불완전한 근긴장 소실) 혹은 마비, 초기의 근긴장 소실에서 시간경과와 더불어 항중력근의 긴장 증대(연축성 spasticity), 근긴장성 반사의 항진, Babinski 증상의 출현, 복부표층반사와 고환올림근반사의 소실 등이 특징이다. 척수분절에 의한 횡문근의 신경지배로 초기에는 근위축이 나타나지 않으나, 오랜기간 동안 상위운동신경세포의 마비로 운동이 일어나지 않아서 생기는 근위축이 나타난다. 상위와 하위운동신경세포는 임상신경학의 기본적인 개념이며, 앞서 설명한 단순한 구분은 환자를 신경학적으로 검사할 때 고려되어야 한다.

척수로 손상

1. 상행신경로(ascending tract)

1) 후백색주-내측섬유띠신경로(Posterior White Column-Medial Lemniscal Pathway; Posteromedial System) 손상

후백색주-내측섬유띠신경로는 분별성촉각(discriminative touch sensation)과 진동감각(flutter vibration), 그리고 위치감각(position sensation)을 전달한다 이 신경로가 손상을 받으면 내측섬유띠 교차 이하에서 손상되었을 경우에는 같은 쪽에, 내측섬유띠교차의 상부에서 손상되었을 경우는 반대쪽에 손상부위 이하의 피부분절에서 분별적촉각과 진동감각, 위치감각이 소실 또는 저하된다. 양쪽의 후섬유단이 파괴된 경우 보행실조(후섬유단보행실조 posterior column ataxia)가 올 수도 있다. 이는 위치감각(position sense)의 소실이 원인이라고 생각되고 있어 감각성보행실조(sensory ataxia)라고도 한다. 감각성보행실조의 전형적인 증상은 다음과 같다. 걸을 때 불안정한 것을 보정하기 위해 다리를 정상보다 많이 벌리며, 눈은 항상 땅과 다리를 주시한다. 이 들은 대부분 지팡이를 짚고 다닌다. 보폭은 일정하지 않고, 발을 뗀 후 앞쪽 바깥쪽으로 급하게 다시 내딛어 쿵하는 소리가 나며(도장징후 stamp sign), 지팡이 소리가 그 후에 난다(지팡이징후 stick sign). 이러한 증상은 특히 어두워서 앞을 볼 수 없을 경우 가장 심하며, 발을 모으고 눈을 감게 할 경우 심하게 흔들리거나 넘어지는 롬버그징후(Romberg sign)가 특정적으로 나타난다.

2) 척수시상로(Spino thalamic Tract, 전외측로 Anterolateral System)

척수시상로는 임상적으로 가장 흔한 증상인 통증(pain)을 전달하는 중요한 신경로이다. 척수시상로(spinothalamic tract)와 척수그물로(spinoreticular tract)를 포함하는 외측섬유단의 앞쪽과 전섬유단(전외측로)이 절단되었을 경우, 손상 반대쪽 손상분절 아래에서 통증을 감각 할 수 없게 된다. 악성종양 말기 환자 등 약물치료에 듣지 않는 극심한 통증(intractable pain) 이 있을 경우 척수시상로를 절단하는 척수절제술(cordotomy)을 시행한다. 척수 자체는 통증을 느끼지 못하기 때문에 국소마취하에서 선택적으로 척수시상로만을 절제 한다. 대체적으로 경수분절에서 척수외 측에 있는 치아인대(denticulate ligament)의 앞쪽으로 칼을 넣어 절단하면 처음에는 천수에서 오는 신경로섬유가 절제되며, 점차 요수, 흉수, 경수에서 오는 신경로섬유가 절단된다. 국소마취하에서 환자가 의식이 있으면 협조를 받아 절제 범위를 정하기도 한다. 수술 후 처음에는 대부분의 환자에서 통증이 소실 되지만 일반적인 경우 시간이 경과하면 통증이 다시 재발한다고 알려져 있다. 척수절제술 이외에도 연수의 척수시상로를 절단하는 연수신경로절제술 (medullaly tractotomy), 시상의 일부를 파괴하는 시상절제술(thalamotomy) 등도 통증을 없애기 위해 시도되고 있다

2. 하행신경로(descending tract)

1) 피질척수로(Corticospinal Tract) 손상

피질척수로가 손상되면 수의운동을 못하게 되나 이는 영구적인 완전한 마비는 아니고 점차 회복된다 손상 초기에도 사지 근위부의 전체적인 운동은 비교적 보존되는 반면, 원위부의 운동, 특히 손의 숙련된 미세한 운동은 매우 심하게 제한된다. 원숭이의 연수 하부에서 피질척수로만을 선택적으로 절단한 경우 사지의 마비가 일어나고 근육의 긴장도는 저하된다. 시간이 지나면 근위부의 미비는 거의 회복되며, 원위부의 마비는 약간 회복되지만 손상전과 같은 수준으로 회복되지는 않는다. 사람에 있어서도 피질척수로만이 손상된 경우에는 원숭이의 경우와 비슷한 증상을 보이지만 피질척수로 경로 중에 내섬유막(internal capsule) 부분이 손상된 경우, 초기에는 마비가 심히고 근육의 긴장도(muscle tone)가 저하되나, 시간이 지날수록 마비는 개선되고 근육긴장도는 항진된다. 또한 보통 때에는 나타나지 않던 반사작용(병적반사 pathological reflex)이 나타나기도 하고, 심부힘줄반사 (deep tendon reflex, DTR)는 항진되는 반면 천부반사(superficial reflex) 는 오히려 저하된다. 이러한 증상은 척수신경로와 그 주위 부분이 함께 손상되었을 때 일어나는 전형적인 증상으로 상위운동신경원증후군(upper motor neuron syndrome) 이라고 한다.

 V 척수 손상의 병태 생리
: 이차 손상의 기전, 조직학적 변화, 생화학적 변화

1. 급성 척수손상의 병리

손상의 급성기에 척추가 압박을 받거나 혹은 변위나 골절로 인하여 척수 조직에 뼈조각이 박혀 생기는 기계적 손상을 일차 손상이라 하고 이어서 방출되는 여러 가지 매개물질을 통해 괴사를 일으키는 과정을 이차 손상이라 한다. 손상 받은 척수 조직은 출혈, 부종, 신경 괴사, 신경축삭의 분절화, 탈수초화등의 변화를 보인다. 수상 후 30분 내에 점상 출혈과 축삭의 변화가 보이며 1시간 이내에 핵 파괴와 전각 세포의 허혈성 변화가 관찰되고 4시간 이내에 출혈성 괴사가 발생한다. 삭의 부종도 같은 시간에 관찰된다. 수상 후 초기 단계인 수시간 내에 다형성 백혈구의 침윤이 보이고 뒤이어 대식 세포의 침윤이 일어나며 그 후에 다른 염증 세포의 침윤이 나타난다. 1주 정도 경과하면 신경 내에 낭성 변화가 보이며 4주 정도 경과해서는 낭성 변화의 주변으로 성상 세포의 증식이 관찰되고 수초의 탈수초화가 광범위하게 파급된다. 한 손상된 척수 조직 내에서는 혈관 연축이 발생하게 되어 조직 내 저산소증을 악화 시키고 이차 손상의 진행에 중요한 역할을 하게 된다. 이러한 조직학적 변화는 척수 손상의 세포 치료의 시기를 정하는 매우 중요한 기준이 될 수 있다.

척추가 변위되거나 골절로 인하여 척수조직에 뼈조각이 삽입되어 손상을 일으키게 되는 일차적인 손상은 전단력(shearing), 긴장력(stretching), 뒤틀리는 힘(twisting)이 작용하여 혈관 손상을 일으키게 되고 신경세포, 백질 경로, 신경지지세포에 심각한 물리적 타격을 주게 된다.

일차적 손상의 병리학적 진행과정을 보면 손상 후 처음 30분간은 뚜렷한 조직붕괴 없이 충혈(hyperemia)된 상태로 있다가 손상된 주위로 점상출혈(petechial hemorrhage)이 생기고 곧 조직상태가 불량하게 된다. 점상출혈은 처음 전각부위에 나타나며 점차 후각 및 백질을 향해 확대된다. 회색질과 바로 주위의 백질을 포함하는 척수의 중앙부위는 특히 분쇄골절이나 골절-탈골 같은 급성압박손상에서 백질보다 훨씬 손상을 받기 쉽다. 그 이유는 회색질이 부드럽고 혈관도 풍부하기 때문이다. 처음시기에 심한 손상은 보통 회색질에서 수많은 점상출혈을 유발하고 모여서 점점 커지게 된다. 출혈은 보통 소정맥, 소동맥, 모세활관에서 일어나고 전척추동맥의 출혈은 드물다. 손상 후 2시간 내에 척수가 저관류(hypoperfusion)되어 소교세포(microglia) 다핵백혈구(plymorphonuclear leukocytes)가 손상부위에 침윤된다. 손상 후 4시간 이내에 상당한 예에서 괴사를 일으키고 6시간에 혈관기인성 부종(vasogenic edema)이 생겨 척수 혈액 순환이 악화되어 괴사가 더욱 진행된다. 손상 후 12∞24시간에 척수의 중앙부위 구조는 파괴되고 출혈부위가 점점 합쳐져서 중심 출혈성괴사(central hemorrhagic necrosis)의 형태를 취한다. 지주막하 출혈은 척수가 좌상 혹은 열상이 있을 때 흔히 동반되나 경막하 혈종이나 경막외 혈종은 매우 드물다. 척수손상에서는 전척수동맥과 후척수동맥의 혈전 및 폐색은 보기 힘들며 주로 척수내 혈관 손상이 나타나 결국 손상정도에 따라 광범위한 척수내 혈종이 생긴다.

손상은 신경세포의 회색질에 한정되지 않고 물리적인 힘에 의하여 백질의 신경섬유를 회전시키고 신장시켜 특히 유수섬유(myelinated fiber)가 손상을 쉽게 받는다. 하지만 힘의 속도가 가중되면 전단력(shearing force)에 의하여 모든 축삭은 끊어지게 된다. 작은 무수섬유(unmyelinated fiber)는 압축력과 저산소증에 의해 손상 받기가 쉽다.

축삭돌기는 주위 지지세포, 수용체의 특이한 분포와 관련되는 독특한 해부학적 구조 때문에 손상에 대하여 특유한 반응을 하게 된다. 손상 후 15분에서 24시간까지느 축삭초(axolemma)의 파열로 세포외 공간으로 소기관(organelle)이 빠져 나오고 축삭형질(axoplasm)이 과립 변성(granular degeneration)되고, 축삭이 종창되며, 신경세사(neurofillament)가 풍부한 거대 축삭(giant axon)이 형성되고 미토콘드리아가 비정상적으로 덩어리를 형성하는 소견을 보인다. 수초(myelin sheath)의 변화도 첫 수 시간 내에 급속히 진행되어 수초가 파열되고 축삭에서 신경초가 분리되어 커다란 축삭 주위의 공간이 생긴다. 결국은 왈러씨변성(Wallerian degeneration)이 신경섬유 손상에 2차적으로 부수적인 탈수초현상(demyelination)이 일어난다. 축삭손상의 결과로 해당 축삭의 신경세포는 역행성으로 세포사를 일으키거나 장기적으로 위축될 수 있다.

2. 만성기에서 척수손상의 병리

급성 손상후 수일내에 손상부위 및 그 주위에 수많은 호복과정, 변성과정 그리고 재생과정이 시작된다. 다핵백혈구가 줄어들고 소교세포에서 유래된 대식세포(macrophage)의 수가 늘어난다. 대식세포는 수초, 적혈구 등 조직파편을 먹어 치운다. 대식세포는 interleukin-1 같은 cytokine과 혈관형성을 자극하는 물질들을 분비하기 때문에 이런 염증변화가 중요한 관심이 되고 있다. 심한 경우에는 손상부위에 작고 커다란 공동을 형성하며 일부는 상의세포로 된 중심관과 교통을 하고 있다. 10%에서는 이 작은 공동들이 합쳐져서 큰 공동을 만들어 외상성 척수공동증을 나타낸다. 뚜렷한 척수공동 없이 회상후 척수 중심에 미세낭포의 변성이 되어 있는 상태를 미세낭포성 척수연화증(microcytic myelomalacia) 혹은 습지같은 모양을 하여 "marshy cord syndrome"이라 한다.

척수내에 다양한 섬유화가 발생하고 경막열상의 경우는 아교질(collagen)로 척수내 흉터가 생길 수 있으나 경막파열이 없으면 보통 아교질 흉터는 적게 나타난다. 축삭의 변성을 포함하는 왈러변성(Wallerian degeneration)과 탈수초현상이 척수후주(posterior column)와 척수시상로 같은 구심로에서 피질척수로 간은 원심로에서도 나타나므로 만성기의 척수위축은 손상부위 뿐 아니라 손상의 원위부 근위부에도 나타난다.

척수손상의 만성기에는 재생적인 변화도 나타나는데 가장 현저한 변화는 슈반세포가 안쪽으로 증식하게 되어 관련된 말초축삭과 신경수초(myeline)가 재생되는 것이다. 슈반세포 증식은 아주 왕성하여 어떤 환자에서는 척수내 신경종을 형성하기도 한다. 소혈관의 증식을 보일 수 있고 상의세포도 증식을 보일 수 있다. 중심관에서 떨어져서 이동하기도 한다.

손상 1주일이 되면 손상부위는 대식세포로 침윤된 마멸된 조직 덩어리가 형성되고 3차원적으로는 여러 분절에 걸친 방추형의 모양을 이루게 된다. 식세포에 의해 병소가 치유되면서 액체로 변하여 낭포를 형성하게 되는데 이것이 외상성 척수공동증이다. 이 공동은 신경교증(gliosis)조직으로 둘러싸여 있고 결체 조직의 성분을 포함할 수 있다. 일부에서는 공동이 오랜 시간을 걸쳐 처음 손상과 관계없는 정상조직으로 확대되어 척수공동증후군을 나타낼 수 있다.

참고문헌

1. Benarroch EE, Daube JR, Flemming KD, Westmoreland BF. Mayo Clinic Medical Neurosciences: the spinal level. 5th ed. Rochester: Mayo Clinic Scientific Press, 2008

2. Bromberg MB. An approach to the evaluation of peripheral neuropathies. Semin Neurology 2010:30

3. Burns TM, Mauermann M. The evaluation of polyneuropathies. Neurology 2011:76 (7suppl2)

4. Frohman EM, Wingerchuk DM. Transverse Myelitis. N Engl J Med 2010;363

5. Ropper AH, Samuels MA. Adams and Victor's Principles of Neurology 9th ed. New York: McGraw-Hill, 2009

6. Rowland LP, Pedley TA. Merritt's Neurology. 12th ed, Philadelphia; Lippincott & Wilkins, 2010

7. Wingerchuk DM. Infectious and inflammatory myelopathies. Continuum 2008;14

말초신경

Chapter
08

말초신경

○ 이상구, 정태석

1절 상지(Upper Extremity)

I 액와신경(Axillary nerve)

척수신경들은 전사각근(scalenus anterior)과 중사각근(scalenus medis) 사이를 통과하고, 신경섬유들은 신경간(trunk), 분지(division), 신경속(cord)을 거쳐 근육들을 지배하는 신경들에 도달하게 된다. 삼각근(deltoid) 위의 피부는 액와신경과 상외측상완피신경(superior lateral brachial cutaneous nerve)의 제5경수신경섬유들의 지배를 받는다. 광배근(latissimus dorsi)은 반짝이는 건으로 좁아지고 이 건은 대원근(teres major)의 하방경계에서 휘어져 상완골에 부착된다. 장사방형공간(quadrilateral space)은 상방의 견갑하근(subscapularis)과 하방의 대원근으로 이루어지나, 수술자는 이 공간의 해부학적 기준점으로서 광배근의 얇고 반짝이는 건의 상방경계를 이용하게 된다. 겨드랑이 후방의 세가지 근육들은 모두 후신경속(견갑하신경, 광배근으로 가는 신경, 대원근으로 가는 신경)의 지배를 받는다. 액와동맥을 가볍게 당기면 후상완회선동맥(posterior circumflex humeral artery)을 확인할 수 있고 장사방형공간을 통해 후상완회선동맥과 같이 주행하는 액와신경 또한 확인할 수 있다.

액와신경은 후신경속의 말단에서 요골신경(radial nerve)으로 나눠지고, 견갑하근의 하방면에서 휘어서 장사방형공간으로 들어가 어깨의 관절낭 하방과 상완골의 외과경(surgical neck) 주위로 주행한다. 뒤에서 봤을 때 신경은 소원근(teres minor) 하방과 상완삼두근(triceps)의 장두와 외측두 사이에서 나타난다. 이 단계에서 소원근을 지배하는 신경들을 내며 삼각근 하방면으로 들어가기 전 두, 세 개의 신경지(branch)들을 내기도 한다[그림 4-6, 8-2, 8-7, 8-8] [표 8-1].

Ⅱ 근피신경(Musculocutaneous Nerve)

상완이두근(biceps)의 단두(short head)는 오훼완근(coracobrachialis)과 함께 오훼돌기(coracoid process)의 끝에서 기시하며, 단두(long head)는 관절상결절(supraglenoid tubercle)에서 기시한다. 이 두개의 두가 이루는 상완이두근은 요골(radius)의 결절(tuberosity)에 부착된다. 부착부에서 건(tendon)은 내측 근막의 연장인 상완이두근건막(bicipital aponeurosis)으로 이어지며 척골(ulna)에 부착된다.

정중신경(median nerve)은 상완이두근건막의 하방, 상완이두근건의 내측에 위치하며, 후골간신경(posterior interosseous nerve)은 건의 외측에 위치한다. 상완근(brachialis)은 상완골(humerus)의 전방면에서 기시하여 척골의 결절에 부착된다. 상완이두근과 상완근은 주관절(elbow joint)의 강력한 굴근들이다. 오훼완근(coracobrachialis)은 오훼돌기에서 기시하고 상완골에 부착된다. 오훼완근은 근피신경(musculocutaneous nerve) 수술 시 주요 해부학적 기준점으로서 중요한 역할을 하며 기능적으로는 큰 중요성을 가지지 않는다[그림 8-1, 8-3, 8-7, 8-8] [표 8-1].

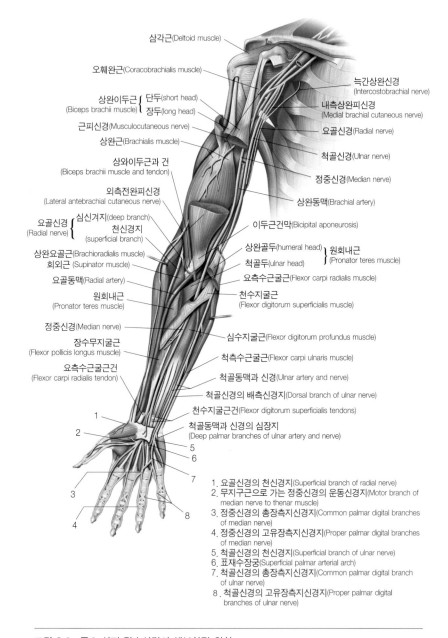

삼각근(Deltoid muscle)

오훼완근(Coracobrachialis muscle)

상완이두근 { 단두(short head)
(Biceps brachii muscle) { 장두(long head)

근피신경(Musculocutaneous nerve)

상완근(Brachialis muscle)

상완이두근과 건
(Biceps brachii muscle and tendon)

외측전완피신경
(Lateral antebrachial cutaneous nerve)

요골신경 { 심신겨지(deep branch)
(Radial nerve) { 천신경지
(superficial branch)

상완요골근(Brachioradialis muscle)
회외근(Supinator muscle)

요골동맥(Radial artery)

원회내근
(Pronator teres muscle)

정중신경(Median nerve)

장수무지굴근
(Flexor pollicis longus muscle)

요측수근굴근건
(Flexor carpi radialis tendon)

늑간상완신경
(Intercostobrachial nerve)

내측상완피신경
(Medial brachial cutaneous nerve)

요골신경(Radial nerve)

척골신경(Ulnar nerve)

정중신경(Median nerve)

상완동맥(Brachial artery)

이두근건막(Bicipital aponeurosis)

상완골두(humeral head) } 원회내근
척골두(ulnar head) } (Pronator teres muscle)

요측수근굴근(Flexor carpi radialis muscle)

천수지굴근
(Flexor digitorum superficialis muscle)

심수지굴근(Flexor digitorum profundus muscle)

척측수근굴근(Flexor carpi ulnaris muscle)

척골동맥과 신경(Ulnar artery and nerve)

척골신경의 배측신경지(Dorsal branch of ulnar nerve)

천수지굴근건(Flexor digitorum superficialis tendons)

척골동맥과 신경의 심장지
(Deep palmar branches of ulnar artery and nerve)

1
2
5
6
7
3
8
4

1. 요골신경의 천신경지(Superficial branch of radial nerve)
2. 무지구근으로 가는 정중신경의 운동신경지(Motor branch of
   median nerve to thenar muscle)
3. 정중신경의 총장측지신경지(Common palmar digital branches
   of median nerve)
4. 정중신경의 고유장측지신경지(Proper palmar digital branches
   of median nerve)
5. 척골신경의 천신경지(Superficial branch of ulnar nerve)
6. 표재수장궁(Superficial palmar arterial arch)
7. 척골신경의 총장측지신경지(Common palmar digital branch
   of ulnar nerve)
8. 척골신경의 고유장측지신경지(Proper palmar digital
   branches of ulnar nerve)

그림 8-1. 주요 상지 말초신경의 해부학적 위치

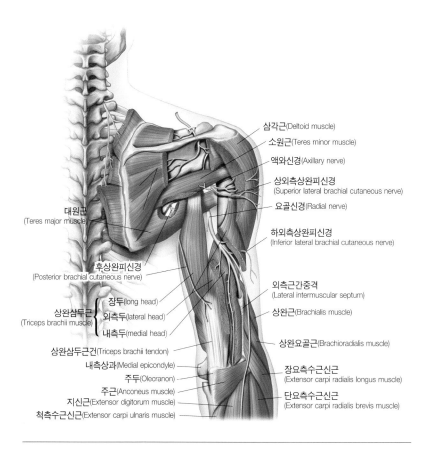

삼각근(Deltoid muscle)

소원근(Teres minor muscle)

액와신경(Axillary nerve)

상외측상완피신경
(Superior lateral brachial cutaneous nerve)

요골신경(Radial nerve)

하외측상완피신경
(Inferior lateral brachial cutaneous nerve)

외측근간중격
(Lateral intermuscular septum)

상완근(Brachialis muscle)

상완요골근(Brachioradialis muscle)

장요측수근신근
(Extensor carpi radialis longus muscle)

단요측수근신근
(Extensor carpi radialis brevis muscle)

대원근
(Teres major muscle)

후상완피신경
(Posterior brachial cutaneous nerve)

장두(long head)

상완삼두근
(Triceps brachii muscle)

외측두(lateral head)

내측두(medial head)

상완삼두근건(Triceps brachii tendon)

내측상과(Medial epicondyle)

주두(Olecranon)

주근(Anconeus muscle)

지신근(Extensor digitorum muscle)

척측수근신근(Extensor carpi ulnaris muscle)

그림 8-2. 액와신경과 요골신경의 해부학적 위치

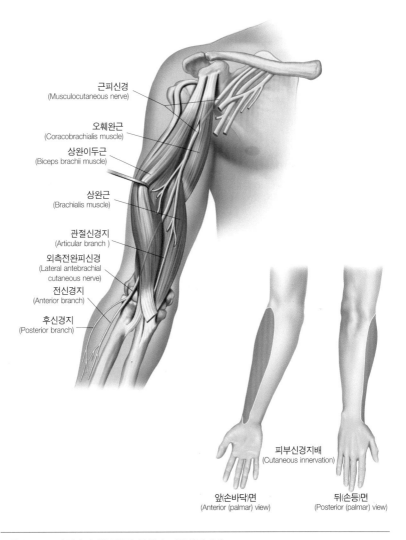

근피신경
(Musculocutaneous nerve)

오훼완근
(Coracobrachialis muscle)

상완이두근
(Biceps brachii muscle)

상완근
(Brachialis muscle)

관절신경지
(Articular branch)

외측전완피신경
(Lateral antebrachial
cutaneous nerve)

전신경지
(Anterior branch)

후신경지
(Posterior branch)

피부신경지배
(Cutaneous innervation)

앞(손바닥)면
(Anterior (palmar) view)

뒤(손등)면
(Posterior (palmar) view)

그림 8-3. 근피신경의 해부학적 위치와 피부신경지배

Ⅲ 요골신경(Radial nerve)

1. 상완신경총에서의 요골신경의 기원

요골신경은 상완신경총의 후신경분지에서 형성되고 후신경속의 두 개의 종말지 중 더 큰 신경이다. 제5경수부터 제1흉수신경의 영향을 받는 요골신경은 부착부에서 액와동맥(axillary artery)의 세 번째 부분 후방에, 견갑하근, 대원근, 광배근의 전방에 위치한다.

오훼돌기는 주요 해부학적 기준점으로서 그곳에서 요골신경은 후신경속의 주요 신경지로서 액와동맥 후방으로 주행한다.

요골신경은 광배근의 반짝이는 건 상방에 놓이며 대원근 전방을 지나 신경구(spiral groove)의 상방 끝으로 향한다. 그리고 상완삼두근의 장두 전방을 지난다. 또한 요골신경은 기시부 근처에서 상완삼두근으로 여러 신경지들을 낸다. 신경은 근위부에서 상완동맥 후방에, 상완삼두근 전방에 위치한다. 신경은 상완심부동맥(profunda brachii artery)과 함께 외측으로 상완골, 내측으로 상완삼두근의 장두, 상방으로 대원근으로 이루어진 삼각공간(triangular space)을 통과한다. 상완골 후방에서 요골신경은 신경구 내, 상완삼두근의 장두 하방, 외측두와 내측두 사이에 위치한다. 이곳은 전체 주행경로 중 대략 4-5개 정도의 가장 적은 수의 신경속들을 갖는 지점이다. 상완삼두근의 세개의 두는 모두 요골신경의 지배를 받으며, 주근(anconeus)은 신경구에서 요골신경의 장지(long branch)의 지배를 받는다. 요골신경은 신경구를 통과하여 상완심부동맥과 동행한다. 신경은 외측상완근간중격(lateral intermuscular septum)을 지나 상완 원위부의 굴근구획으로 들어간다[그림 4-6, 8-1, 8-2, 8-7, 8-8] [표 8-1].

2. 팔꿈치에서의 요골신경

요골신경은 처음 상완근과 상완요골근(brachioradialis) 사이의 구에 위치하며 상완근과 장요측수근신근(extensor carpi radialis longus) 사이를 지나 전완의 외측상과(lateral epicondyle)의 전방을 지난다. 요골신경은 상완근의 내측 면에 신경지들을 내고, 상완근은 근피신경과 요골신경의 지배를 받는다. 요골신경은 상완요골근과 장요측수근신근, 단요측수근신근(extensor carpi radialis brevis)을 지배한다. 상완요골근으로 가는 근신경지들은 팔꿈치로부터 2-3cm 근위부에서 나온다[그림 8-4, 8-7, 8-8] [표 8-1].

3. 후골간신경의 기원

요골신경은 두 개의 종말지로 나뉘어 진다: 심지(deep branch)인 후골간신경(posterior interosseous nerve)과 천감각요골신경(superficial sensory radial nerve). 후골간신경은 회외근(supinator)의 천층과 심층 사이를 통과한다. 회외근은 두개의 두의 부착부를 갖는다. 천두의 상방경계는 다양하게 구성(근육, 섬유, 건-후로세 아케이드(arcade of Frohse)된다. 신경이 회외근의 두개의 두 사이의 굴을 통과하는 지점에는 많은 작은 동맥지들이 있다[그림 8-4].

Ⅳ 정중신경(Median nerve)

정중신경은 내측두와 외측두로부터 이루어지며, 신경속의 기원에 따라 이름이 지어진다. 내측신경속은 주로 운동섬유를 이루며, 외측신경속은 감각섬유를 이룬다. 두개의 두는 상완동맥(brachial artery)과 함께 주행하며, 내측두가 상완동맥의 전방면을 따라 주행하게 된다. 신경은 초반부에는 동맥의 외측을 따라, 후반부에는 내측을 따라 주행한다. 두 구간이 바뀌는 구역은 삼각근의 부착부에서 일어난다. 척골동맥(ulnar artery)은 정중신경의 후방에서 주행한다. 신경은 전반에 걸쳐 근막으로 덮여 심부에 위치하며, 근막은 팔꿈치 부위에서 상완이두근건막에 의해 두꺼워 진다[그림 8-1, 8-8].

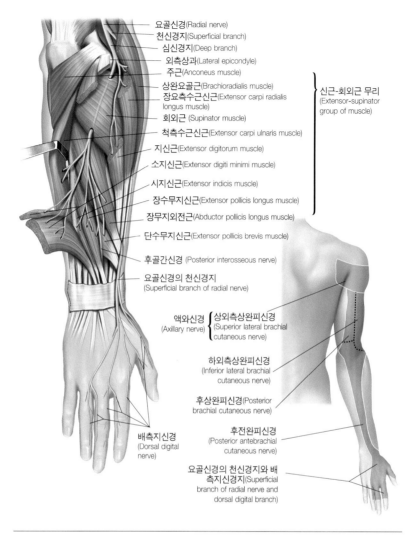

요골신경(Radial nerve)
천신경지(Superficial branch)
심신경지(Deep branch)
외측상과(Lateral epicondyle)
주근(Anconeus muscle)
상완요골근(Brachioradialis muscle)
장요측수근신근(Extensor carpi radialis longus muscle)
회외근(Supinator muscle)
척측수근신근(Extensor carpi ulnaris muscle)
지신근(Extensor digitorum muscle)
소지신근(Extensor digiti minimi muscle)
시지신근(Extensor indicis muscle)
장수무지신근(Extensor pollicis longus muscle)
장무지외전근(Abductor pollicis longus muscle)
단수무지신근(Extensor pollicis brevis muscle)
후골간신경 (Posterior interosseous nerve)
요골신경의 천신경지
(Superficial branch of radial nerve)

신근-회외근 무리
(Extensor-supinator group of muscle)

액와신경
(Axillary nerve)
상외측상완피신경
(Superior lateral brachial cutaneous nerve)

하외측상완피신경
(Inferior lateral brachial cutaneous nerve)

후상완피신경(Posterior brachial cutaneous nerve)

후전완피신경
(Posterior antebrachial cutaneous nerve)

배측지신경
(Dorsal digital nerve)

요골신경의 천신경지와 배측지신경지(Superficial branch of radial nerve and dorsal digital branch)

그림 8-4. 요골신경의 해부학적 위치와 액와신경 및 요골신경의 피부신경지배

1. 팔꿈치와 근위부전완

상완 원위부와 주관절와(cubital fossa) 부위의 정중신경은 상완이두근과 근육의 건, 상완동맥의 내측에 위치한다. 정중신경은 원회내근(pronator teres)의 두개의 두 사이로 주행하며, 보통 주요 신경간의 근위부에서 신경

지를 내어 원회내근을 지배한다. 근육의 천근막(superficial fascia)은 상완
이두근건막에 의해 두꺼워 진다. 정중신경은 손목의 근위부에서 요측수근굴
근(flexor carpi radialis)과 장장근(palmaris longus) 사이의 공간에 놓인
다[그림 8-5, 8-8] [표 8-1].

2. 원회내근을 통과하는 정중신경

정중신경은 원회내근에 몇몇 신경지들을 낸 후 원회내근의 두개의 두 사이
를 통과하며 이후 전방으로 척골동맥(ulnar artery)을 지난다. 정중신경은
원회내근의 원위부 경계에서 나타나 천지굴근(flexor digitorum superfi-
cialis)의 두개의 두가 이루는 궁(arch) 심부를 통과한다. 천지굴근은 전완
의 요골와 척골측에 두개의 두가 기시한다. 두개의 두가 이루는 궁은 정중신
경을 덮고 있다. 정중신경은 천지굴근의 하방면에 붙어 있으며 전완 원위부
에서 천지굴근건 외측으로 나간다.

전골간신경(anterior interosseous nerve)은 정중신경으로부터 외측으로
나온다. 전완에서의 정중신경은 원회내근과 천지굴근 하방에서 장장근 건의
요골측으로 손목에 일직선으로 그은 선을 따라 주행한다. 전골간신경지의
근위부에서 정중신경은 원회내근, 요측수근굴근, 장장근, 천지굴근을 지배
한다[그림 8-5, 8-7, 8-8] [표 8-1].

3. 전완의 전골간신경

천지굴근 궁의 원위부에서 기시하는 전골간신경은 정중신경의 가장 큰 근
신경지이다.

전골간신경은 처음에 지배근육인 장무지굴근(flexor pollicis longus)과
심지굴근(flexor digitorum profundus) 사이에 놓여있다. 전골간신경은 전
골간동맥(anterior interosseous artery)와 같이 주행하면서 골간막(in-
terosseous membrane)의 표면을 따라 전완으로 내려온다. 이 신경은 방형
회내근(pronator quadratus muscle)을 지배한다[그림 8-5] [표 8-1].

4. 손목부위

굴근지대(Flexor retinaculum)는 네 군데의 뼈 부착점을 갖는다. (1) 주상골(scaphoid)의 결절 (2) 대능형골(trapezium)의 능선 (3) 두상골(pisiform) (4) 유구골구(Hamulus of hamate bone).

정중신경은 손목의 근위부에서 요측수근굴근과 장장근의 건 사이의 심부에 놓이고, 수근관(carpal tunnel)에서 굴근건들과 함께 굴근지대 심부를 주행한다. 정중신경은 횡수근인대(transverse carpal ligament) 하방으로 주행하여 손바닥으로 들어간다. 수근관에서 신경은 중지(middle finger)의 천지굴근의 외측과 요측수근굴근의 내측에 위치한다. 굴근지대의 원위부에서 정중신경은 회귀운동신경지(recurrent motor branch)와 감각지신경(sensory digital nerve)들로 나뉜다. 무지구근(thenar muscle)으로 가는 회귀운동신경지는 정중신경의 요골측 면에서 기시하고, 무지구(thenar eminence)의 근막과 근육 사이에 놓인다[그림 8-5, 8-8].

5. 손바닥에서의 정중신경의 원위부신경지들

손바닥에서 정중신경은 천장동맥궁(superficial palmar arch)의 배측과 굴근건들의 장측(palmar)에 위치한다. 요골신경분지는 무지(thumb)로 가는 총장측지신경(common digital nerve)과 시지(index finger)의 척골측으로 가는 고유장측지신경(proper digital nerve)으로 나뉜다.

척골신경분지는 둘째, 셋째 지간(web space)의 총장측지신경들로 신경지를 낸다. 수지신경(digital nerve)들은 천장동맥궁의 배측과 굴근건의 장측에 놓인다. 수지신경들은 중수골경(metacarpal neck)부위에서 나눠진 후 수지동맥(digital artery) 상방에 놓인다. 이 신경들은 심횡중수인대(deep transverse metacarpal ligament)와 천횡중수인대(superficial transverse metacarpal ligament) 사이를 통해 손가락으로 주행한다[그림 8-5, 8-7, 8-8] [표 8-1].

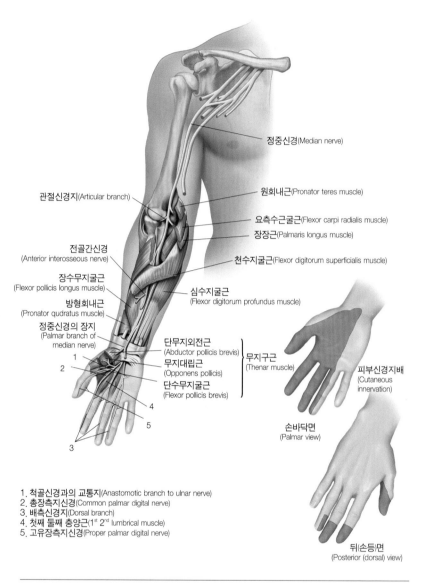

정중신경(Median nerve)

관절신경지(Articular branch)

원회내근(Pronator teres muscle)

요측수근굴근(Flexor carpi radialis muscle)

장장근(Palmaris longus muscle)

전골간신경
(Anterior interosseous nerve)

천수지굴근(Flexor digitorum superficialis muscle)

장수무지굴근
(Flexor pollicis longus muscle)

심수지굴근
(Flexor digitorum profundus muscle)

방형회내근
(Pronator qudratus muscle)

정중신경의 장지
(Palmar branch of
median nerve)

단무지외전근
(Abductor pollicis brevis)

무지대립근
(Opponens pollicis)

무지구근
(Thenar muscle)

피부신경지배
(Cutaneous
innervation)

단수무지굴근
(Flexor pollicis brevis)

1

2

4

5

3

손바닥면
(Palmar view)

1. 척골신경과의 교통지(Anastomotic branch to ulnar nerve)
2. 총장측지신경(Common palmar digital nerve)
3. 배측신경지(Dorsal branch)
4. 첫째 둘째 충양근(1st 2nd lumbrical muscle)
5. 고유장측지신경(Proper palmar digital nerve)

뒤(손등)면
(Posterior (dorsal) view)

그림 8-5. 정중신경의 해부학적 위치와 피부신경지배

Ⓥ 척골신경(Ulnar nerve)

1. 척골신경의 기원

상완신경총의 내측신경속은 상완과 전완의 내측피신경(medial cutane-ous nerve)과 정중신경의 내측두의 기시부 하방에서 척골신경으로 이어진다. 척골신경은 내측신경속복합체에서부터 주관절의 내측상과까지 일직선으로 내려온다[그림 4-6, 8-1, 8-8].

2. 근위상완에서의 척골신경

척골신경은 액와동맥과 상완동맥 구간의 심부와 내측에 위치하며 상완삼두근의 전방을 따라 근위상완으로 내려온다. 삼각근의 부착부 근처에서 척골신경은 내측근간중격의 후방으로 주행함으로써 상완의 굴근 구획을 벗어난다. 척골신경은 상척측측부동맥(superior ulnar collateral artery)과 상완삼두근의 운동신경지와 함께 주행한다. 신경은 상완삼두근의 근막 하방과 내측근간중격 후방으로 주행한다. 상완에서 척골신경은 상완동맥을 기준으로 관찰된다. 수술자는 척골신경과 정중신경을 구분해야 한다. 전완에서 척골신경은 주두절흔(olecranon notch)을 기준으로 관찰된다[그림 8-1, 8-8].

3. 팔꿈치에서의 척골신경

척골신경은 상완골의 내측상과와 척골의 주두돌기(olecranon process) 사이의 구에 위치한다. 신경은 상완의 심근막 하방과 상완삼두근 건의 연장 구간 하방의 골막(periosteum)에 가까이 붙어있다. 척골신경은 척측수근굴근(flexor carpi ulnaris)의 두개의 두(상완골과 척골) 사이를 통과하여 전완으로 들어간다. 신경은 심지굴근의 표면에 위치하며 일직선으로 내려가 넷째, 다섯째 손가락의 건을 이루는 심지굴근의 척골부분을 지배한다[그림 8-6, 8-8] [표 8-1].

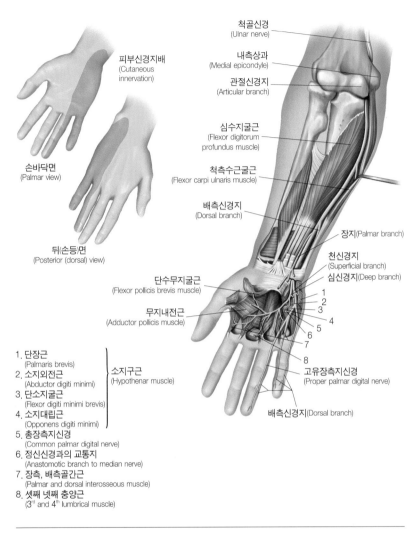

피부신경지배
(Cutaneous innervation)

손바닥면
(Palmar view)

뒤(손등)면
(Posterior (dorsal) view)

척골신경
(Ulnar nerve)

내측상과
(Medial epicondyle)

관절신경지
(Articular branch)

심수지굴근
(Flexor digitorum profundus muscle)

척측수근굴근
(Flexor carpi ulnaris muscle)

배측신경지
(Dorsal branch)

단수무지굴근
(Flexor pollicis brevis muscle)

무지내전근
(Adductor pollicis muscle)

장지(Palmar branch)

천신경지
(Superficial branch)

심신경지(Deep branch)

1
2
3
4
5
6
7
8

고유장측지신경
(Proper palmar digital nerve)

배측신경지(Dorsal branch)

1. 단장근
(Palmaris brevis)
2. 소지외전근
(Abductor digiti minimi)
3. 단소지굴근
(Flexor digiti minimi brevis)
4. 소지대립근
(Opponens digiti minimi)
5. 총장측지신경
(Common palmar digital nerve)
6. 정신신경과의 교통지
(Anastomotic branch to median nerve)
7. 장측, 배측골간근
(Palmar and dorsal interosseous muscle)
8. 셋째 넷째 충양근
(3rd and 4th lumbrical muscle)

소지구근
(Hypothenar muscle)

그림 8-6. 척골신경의 해부학적 위치와 피부신경지배

4. 전완에서의 척골신경

척골동맥이 원위부로 내려갈 때 동맥은 내측으로 비스듬히 주행하여 전완의 중간에서 척골신경과 만난다. 척골신경은 손목 위의 척측수근굴근의 밑에서 나타나 동맥의 내측, 건의 외측에 위치한다. 상완 원위부에서 척골신경을

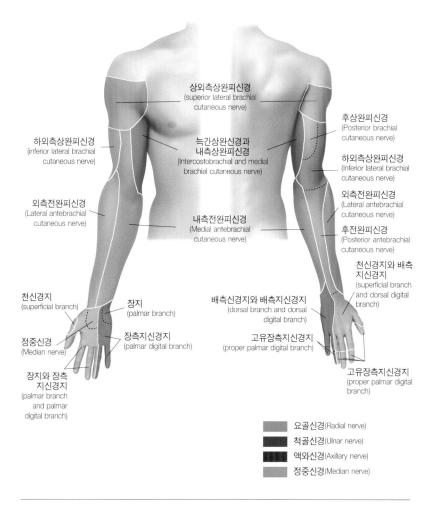

상외측상완피신경
(superior lateral brachial
cutaneous nerve)

후상완피신경
(Posterior brachial
cutaneous nerve)

하외측상완피신경
(inferior lateral brachial
cutaneous nerve)

늑간상완신경과
내측상완피신경
(Intercostobrachial and medial
brachial cutaneous nerve)

하외측상완피신경
(Inferior lateral brachial
cutaneous nerve)

외측전완피신경
(Lateral antebrachial
cutaneous nerve)

외측전완피신경
(Lateral antebrachial
cutaneous nerve)

내측전완피신경
(Medial antebrachial
cutaneous nerve)

후전완피신경
(Posterior antebrachial
cutaneous nerve)

천신경지와 배측
지신경지
(superficial branch
and dorsal digital
branch)

천신경지
(superficial branch)

장지
(palmar branch)

배측신경지와 배측지신경지
(dorsal branch and dorsal
digital branch)

정중신경
(Median nerve)

장측지신경지
(palmar digital branch)

고유장측지신경지
(proper palmar digital branch)

장지와 장측
지신경지
(palmar branch
and palmar
digital branch)

고유장측지신경지
(proper palmar digital
branch)

	요골신경(Radial nerve)
	척골신경(Ulnar nerve)
	액와신경(Axillary nerve)
	정중신경(Median nerve)

그림 8-7. 주요 상지 말초신경의 피부신경지배

찾기 위한 핵심은 주두절흔이고, 전완 원위부에서는 척측수근굴근 건이다.

척골신경이 척측수근굴근의 두개의 두 사이를 통과할 때 척골신경의 첫 근신경지가 나온다. 척골신경은 보통 세, 네 개의 신경지들로 척측수근굴근 을 지배한다. 배측신경지는 감각을 담당하며 척측수근굴근 건 심부로 휘어 들어가 신근(extensor muscle)표면으로 간다[그림 8-6, 8-7, 8-8] [표 8-1].

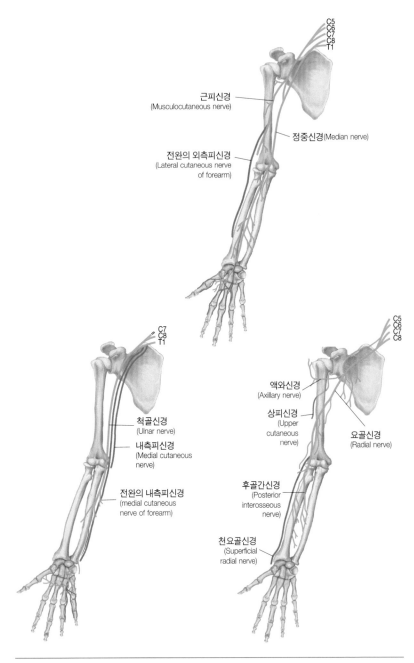

그림 8-8. 주요 상지 말초신경의 주행경로

표 8-1. 상지의 주요 말초신경들

신경	신경근	운동신경분포	감각신경분포	운동기능	신경병변
액와신경 (axillary nerve)	C5, 6	·전신경지: 삼각근의 전방, 외측 섬유 ·후신경지: 삼각근의 후방 섬유와 소원근	·후신경지는 상외측상완피신경으로 끝남 ·상외측상완피신경: 삼각근의 피부 아랫부위	·팔의 회전 ·견관절에서의 팔의 외전	·견관절 (glenohumeral joint) 탈구, 상완경골 골절 - 삼각근의 약화
근피신경 (musculocutaneous nerve)	C5-7	·오훼완근 ·상완이두근 ·상완근	·전완피신경: 전신경지, 후신경지 ·전신경지: 전완의 전외측 피부 ·후신경지: 전완의 후외측 피부	·견관절에서 상완의 굴곡 ·전완의 주관절회외	·상완골골절, 신경통근위축증 환자 - 주관절굴곡의 약화
요골신경 (radial nerve)	C5-T1	·상완: 상완삼두근, 주근, 회외근, 상완요골근 ·전완: 외인성신근	·상완 - 후상완피신경: 상완 후방 피부 - 하외측상완피신경: 상완의 하방 외측 피부 ·전완 - 후전완피신경: 전완 후방피부 ·손 - 천신경지: 손의 후방	·주관절 신전 ·손목과 손가락관절의 신전	·상완골간 골절(요골신경구) - 수근하수(wrist drop): 중력에 대항하여 손을 들어올릴 수 없고 쥐는 힘이 약함
정중신경 (median nerve)	C5-T1	·팔꿈치: 원회내근, 노쪽손목굴근, 장장근, 천지굴근 ·전완: 심지굴근 외측절반, 장무지굴근, 방형회내근 ·손: 무지구근(무지내전근 제외), 충양근의 외측절반	·피신경지: 엄지, 외측 2½ 손가락의 장측 피부, 외측 2½ 손가락의 끝마디뼈 피부	·전완의 회내 ·손목과 손가락의 굴곡 ·엄지의 움직임 ·중수수지 관절에서 시지과 중지의 굴곡	·수근관증후군 (Carpal tunnel syndrome): 수근관 내 정중신경의 압박(통증, 무감각, 저림감)
척골신경 (ulnar nerve)	C8-T1	·전완: 척측수근굴근, 심지굴근의 내측절반 ·손: 심신경지를 통해 소지구근, 손바닥, 배측골간근, 충양근의 내측절반, 무지내전근	·천신경지: 손의 전, 후방 피부(손의 내측면, 약지, 소지)	·손목에서 손의 굴곡과 내전 ·손가락의 굴곡	·내측 상과 주위의 외상 또는 포착 등의 주관절 손상 - 갈퀴손(claw hand): 충양근의 마비로 인한 소지, 약지의 굴곡변형과 중수수지의 과신전

5. 손목에서의 척골신경

손목에서 척골신경과 척골동맥은 두상골의 외측으로 주행하여 섬유띠(fibrous band) 하방을 통과하고 이어 기용굴(Guyon canal)로 들어간다. 굴근지대의 원위부 경계에서 척골신경은 천신경지와 심신경지로 나뉜다. 천신경지는 내측 손가락 1½의 전방표면에 피신경지를 낸다. 심신경지는 소지구근(hypothenar)과 내측 두 개의 충양근(lumbrical) 그리고 모든 골간근(interossei)을 지배하고 무지내전근(adductor pollicis)에서 끝난다. 심신경지는 유구골구에서 꺾여 외측으로 주행한다[그림 8-6, 8-7, 8-8] [표 8-1].

2절 하지(Lower Extremity)

I 대퇴신경(Femoral nerve)

대퇴신경은 제2, 3, 4요수신경의 후분지로부터 기원한다. 신경은 후방 복벽을 가로질러 서혜인대(inguinal ligament) 뒤를 통과하고 대퇴의 근위부, 전방에 운동과 감각신경지들을 낸다. 신경은 요근(psoas)과 장골근(iliacus)을 덮는 근막 뒤로 주행하고 두 근육 사이의 구에서 관찰된다. 요근은 대퇴신경의 부분적인 지배를 받지만, 장골근은 직접적인 지배를 받는다.

신경은 대퇴에서 감각, 운동신경지들로 나눠지기 전에 매우 짧은 거리를 주행한다. 외측대퇴회선동맥(lateral circumflex artery)은 대퇴신경의 종말지들을 지난다. 대퇴사두근(quadriceps muscle)을 지배하는 운동신경지들은 동맥의 심부에 위치한다. 주요 신경은 서혜부에서 대퇴동맥 바로 외측에 위치한다. 그러나 신경은 대퇴혈관초(femoral sheath)에 쌓여 있는지 않다[그림 4-10, 8-9, 8-13] [표 8-2].

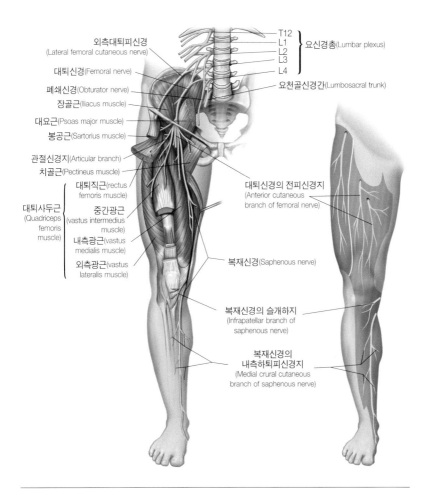

외측대퇴피신경
(Lateral femoral cutaneous nerve)

대퇴신경(Femoral nerve)

폐쇄신경(Obturator nerve)

장골근(Iliacus muscle)

대요근(Psoas major muscle)

봉공근(Sartorius muscle)

관절신경지(Articular branch)

치골근(Pectineus muscle)

대퇴직근(rectus femoris muscle)

대퇴사두근
(Quadriceps femoris muscle)

중간광근(vastus intermedius muscle)

내측광근(vastus medialis muscle)

외측광근(vastus lateralis muscle)

T12
L1
L2
L3
L4
} 요신경총(Lumbar plexus)

요천골신경간(Lumbosacral trunk)

대퇴신경의 전피신경지
(Anterior cutaneous branch of femoral nerve)

복재신경(Saphenous nerve)

복재신경의 슬개하지
(Infrapatellar branch of saphenous nerve)

복재신경의
내측하퇴피신경지
(Medial crural cutaneous branch of saphenous nerve)

그림 8-9. 대퇴신경의 해부학적 위치와 피부신경지배

II 좌골신경(Sciatic nerve)

1. 골반에서의 좌골신경

좌골신경은 제4, 5요수신경, 제1, 2, 3천수신경의 일차전지(anterior pri-mary rami)의 복측분지에서 기원한다. 요추부 기여신경들(제4, 5요수)은 천장관절(sacroiliac joint) 전방으로 내려와 천골신경총(sacral plexus)와 만난다. 천골신경총은 골반근막 뒤, 이상근(piriformis) 앞에 위치한다. 부교감신경섬유들은 제2, 3, 4천수신경에서 기원한다.

좌골신경의 주요 신경간는 슬와부근육(hamstring)들을 지배하고 이후 경골신경(tibial nerve)과 총비골신경(common peroneal nerve)으로 나누어진다. 척수신경들이 모여 형성된 좌골신경은 대좌골공(greater sciatic foramen)을 통과해 골반을 빠져 나온다[그림 4-11, 8-10, 8-13] [표 8-2].

2. 둔부에서의 좌골신경

좌골신경은 이상근 하방에 있는 대좌골공을 통하여 둔부로 들어가고 좌골(ischium) 위에 놓이게 된다. 대퇴방형근(quadratus femoris)으로 가는 신경은 좌골신경의 심부에 위치하고 후대퇴피신경(posterior femoral cutaneous nerve)은 좌골신경의 표면에 위치한다. 좌골신경은 대전자(greater trochanter)와 좌골결절(ischial tuberosity) 사이로 내려와 내폐쇄근(obturator internus)과 쌍자근(gemelli)의 후방을 지난다.

하둔신경(inferior gluteal nerve)은 제5요수신경, 제1, 2천수신경의 복측 신경지에서 기원하고, 이상근 하방의 대좌골공을 통해 나간다. 하둔신경은 대둔근(gluteus maximus)의 심부면으로 가는 신경지들을 낸다.

음부신경(pudendal nerve)은 회음(perineum)과 외생식기(external genitalia)의 주요 신경이다. 이 신경의 일부분만이 둔부에서 보인다. 음부신경은 제2, 3, 4천수신경지의 전방면에서 기원하여 음부혈관 내측으로 이상근과 미골근(coccygeus) 사이를 통과한다. 음부신경과 음부혈관은 대좌골공을 통과하여 소좌골공(lesser sciatic foramen)을 통해 음부신경관(pudendal canal)으로 들어간다. 신경은 좌골직장와(ischiorectal fossa) 앞을 지나 와의 외측벽에 위치한다[그림 4-11, 8-10, 8-13].

3. 대퇴에서의 좌골신경

좌골신경은 좌골결절과 대전자 사이의 중간지점과 슬와(popliteal fossa)

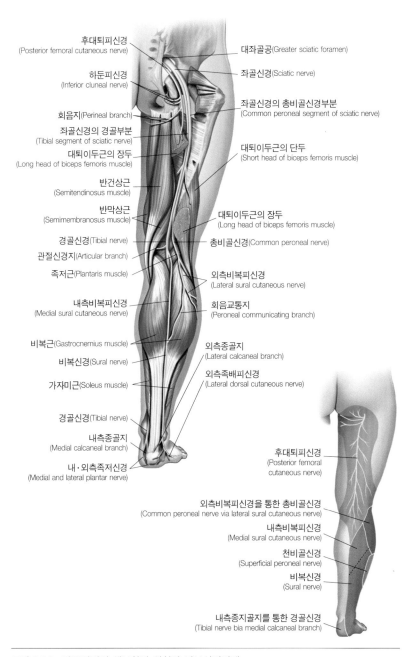

후대퇴피신경
(Posterior femoral cutaneous nerve)

대좌골공(Greater sciatic foramen)

하둔피신경
(Inferior cluneal nerve)

좌골신경(Sciatic nerve)

좌골신경의 총비골신경부분
(Common peroneal segment of sciatic nerve)

회음지(Perineal branch)

좌골신경의 경골부분
(Tibial segment of sciatic nerve)

대퇴이두근의 단두
(Short head of biceps femoris muscle)

대퇴이두근의 장두
(Long head of biceps femoris muscle)

반건상근
(Semitendinosus muscle)

반막상근
(Semimembranosus muscle)

대퇴이두근의 장두
(Long head of biceps femoris muscle)

경골신경(Tibial nerve)

총비골신경(Common peroneal nerve)

관절신경지(Articular branch)

족저근(Plantaris muscle)

외측비복피신경
(Lateral sural cutaneous nerve)

내측비복피신경
(Medial sural cutaneous nerve)

회음교통지
(Peroneal communicating branch)

비복근(Gastrocnemius muscle)

외측종골지
(Lateral calcaneal branch)

비복신경(Sural nerve)

외측족배피신경
(Lateral dorsal cutaneous nerve)

가자미근(Soleus muscle)

경골신경(Tibial nerve)

내측종골지
(Medial calcaneal branch)

후대퇴피신경
(Posterior femoral
cutaneous nerve)

내·외측족저신경
(Medial and lateral plantar nerve)

외측비복피신경을 통한 총비골신경
(Common peroneal nerve via lateral sural cutaneous nerve)

내측비복피신경
(Medial sural cutaneous nerve)

천비골신경
(Superficial peroneal nerve)

비복신경
(Sural nerve)

내측종지골지를 통한 경골신경
(Tibial nerve bia medial calcaneal branch)

그림 8-10. 좌골신경의 해부학적 위치와 피부신경지배

의 꼭지를 잇는 선상에 위치한다. 뒤에서 봤을 때, 좌골신경은 대둔근의 하방경계로부터 슬와부근육들 사이를 거쳐 슬관절 뒤의 슬와로 주행한다. 좌골신경은 반막상근(semimembranosus)과 반건상근(semitendinosus)의 외측과 대내전근(adductor magnus) 위에 위치한다.

좌골신경은 총비골신경부(Common peroneal component)와 경골신경부(tibial component)의 두 부분으로 구성되는데, 좌골신경의 원위부 끝에서 경골신경과 비골신경으로 갈리는 지점은 다양하다. 좌골신경의 총비골신경부는 대퇴이두근의 단두를 지배하고, 경골신경부는 대퇴이두근의 장두를 지배한다. 총비골신경(common peroneal nerve)은 좌골신경의 종말지이고, 대략 경골신경의 절반 크기이다. 이 신경은 제4, 5요수신경지와 제1, 2천수신경지에서 기원한다. 경골신경부는 반막상근, 반건상근, 대내전근의 좌골분지, 대퇴이두근의 장두를 지배한다[그림 4-11, 8-10, 8-13] [표 8-2].

Ⅲ 비골신경(Peroneal nerve)

비골신경은 좌골신경의 주요 구성요소이다. 이 신경은 슬와의 상방 끝에서 경골신경으로부터 분리된다. 그리고 비골경(fibula neck)을 향해 하방으로 내려오면서 외측으로 주행한다. 비골경에서 이 신경을 촉진할 수 있다.

비골신경은 근막의 심부에 위치하며 비복근(gastrocnemius)의 외측두의 상방경계와 대퇴이두근 건의 내측을 따라 주행한다. 비복신경군(Sural nerve complex)의 비골신경부는 슬와를 통과하는 비골신경 경로상의 다양한 지점에서 나올 수 있다. 이 가지의 구경(caliber)은 다양하기 때문에 비복신경군의 경골신경부와 비골신경부의 상대적인 크기를 예측하는 것은 불가능하다.

비골경에서 비골신경은 장비골근(peroneus longus) 섬유 심부를 주행한다. 이 궁의 경계는 섬유질이 될 수 있고, 신경을 압박할 수 있는 잠재적인 부위이다. 비골경 부위에서 장비골근 내측의 비골신경은 천신경지와 심신경지로 나뉘고 세 개의 관절신경지들을 낸다. 천비골신경은 비골경을 나선형으로 두르며 비골, 근막, 두 개의 근막중격으로 경계되는 비골구획을 지배한다. 천비골신경은 비골근들을 지배하며 근막을 통과한다. 피신경지들은 종종 족관절의 배측면에서 보이거나 촉진될 수 있다. 심비골신경은 전경골근(tibialis anterior), 장무지신근(extensor hallucis longus), 장지신근(extensor digitorum longus), 제삼비골근(peroneus tertius)들을 지배한다. 심비골신경은 비골경의 기시부에서부터 장지신근의 심부로 주행하고 전경골혈관과 함께 장지신근과 전경골근 사이로 주행한다[그림 8-10, 8-11, 8-13] [표 8-2].

 IV 경골신경(Tibial nerve)

1. 슬와와 하퇴

가자미근(soleus)은 비골과 경골에서 기시하고, 그 둘 사이에 섬유성 궁을 이룬다. 정중신경이 천지굴근 기시부의 궁 하방을 일직선으로 주행하는 것과 마찬가지로 후경골신경은 가자미근궁의 하방을 주행한다. 후경골신경은 슬와에서 굴근지대까지 장무지굴근의 내측 경계를 따라 일직선으로 주행한다.

경골신경은 좌골신경의 주요 신경지이다. 뒤에서 봤을 때, 경골신경은 근위부에서 슬와부근육들로 덮인다. 슬와에서 표면으로 나와 슬와혈관을 가로질러 슬관절 뒤에서 비복근(gastrocnemius)의 두 심부로 들어간다. 이후 슬와근(popliteus muscle)을 지나 가자미근의 섬유성궁 아래로 주행한다.

슬와에서 경골신경의 근신경지들은 비복근의 두 사이에서 나오고 슬와의 근육들을 지배한다: (1) 족척근(plantaris) (2) 비복근의 두개의 두 (3) 가자미근 (4) 슬와근. 경골신경은 비복근의 두개의 두 심부를 지난다. 원위부에서 후경골신경은 피부와 근막으로 덮여있다. 하퇴의 상방 ⅓과 중간 ⅓ 의 접합지점에서 후경골근(tibialis posterior)의 신경지와 가자미근의 부가적 신경지들이 나오고, 원위부에서 엄지발가락과 다른 발가락들의 신경지들이 나온다[그림 8-10, 8-12, 8-13] [표 8-2].

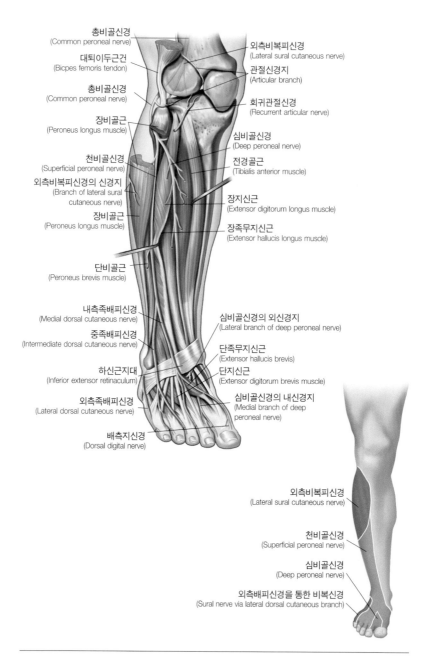

총비골신경
(Common peroneal nerve)

대퇴이두근건
(Bicpes femoris tendon)

총비골신경
(Common peroneal nerve)

장비골근
(Peroneus longus muscle)

천비골신경
(Superficial peroneal nerve)

외측비복피신경의 신경지
(Branch of lateral sural
cutaneous nerve)

장비골근
(Peroneus longus muscle)

단비골근
(Peroneus brevis muscle)

내측족배피신경
(Medial dorsal cutaneous nerve)

중족배피신경
(Intermediate dorsal cutaneous nerve)

하신근지대
(Inferior extensor retinaculum)

외측족배피신경
(Lateral dorsal cutaneous nerve)

배측지신경
(Dorsal digital nerve)

외측비복피신경
(Lateral sural cutaneous nerve)

관절신경지
(Articular branch)

회귀관절신경
(Recurrent articular nerve)

심비골신경
(Deep peroneal nerve)

전경골근
(Tibialis anterior muscle)

장지신근
(Extensor digitorum longus muscle)

장족무지신근
(Extensor hallucis longus muscle)

심비골신경의 외신경지
(Lateral branch of deep peroneal nerve)

단족무지신근
(Extensor hallucis brevis)

단지신근
(Extensor digitorum brevis muscle)

심비골신경의 내신경지
(Medial branch of deep
peroneal nerve)

외측비복피신경
(Lateral sural cutaneous nerve)

천비골신경
(Superficial peroneal nerve)

심비골신경
(Deep peroneal nerve)

외측배피신경을 통한 비복신경
(Sural nerve via lateral dorsal cutaneous branch)

그림 8-11. 비골신경의 해부학적 위치와 비복신경 및 비골신경의 피부신경지배

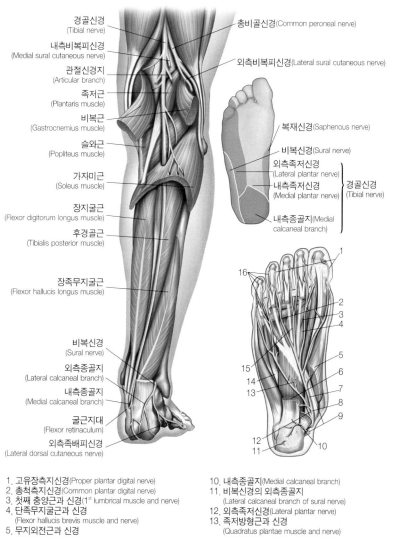

경골신경
(Tibial nerve)

내측비복피신경
(Medial sural cutaneous nerve)

관절신경지
(Articular branch)

족저근
(Plantaris muscle)

비복근
(Gastrocnemius muscle)

슬와근
(Popliteus muscle)

가자미근
(Soleus muscle)

장지굴근
(Flexor digitorum longus muscle)

후경골근
(Tibialis posterior muscle)

장족무지굴근
(Flexor hallucis longus muscle)

비복신경
(Sural nerve)

외측종골지
(Lateral calcaneal branch)

내측종골지
(Medial calcaneal branch)

굴근지대
(Flexor retinaculum)

외측족배피신경
(Lateral dorsal cutaneous nerve)

총비골신경(Common peroneal nerve)

외측비복피신경(Lateral sural cutaneous nerve)

복재신경(Saphenous nerve)

비복신경(Sural nerve)

외측족저신경
(Lateral plantar nerve)

내측족저신경
(Medial plantar nerve)

경골신경
(Tibial nerve)

내측종골지(Medial calcaneal branch)

1. 고유장측지신경(Proper plantar digital nerve)
2. 총척측지신경(Common plantar digital nerve)
3. 첫째 충양근과 신경(1st lumbrical muscle and nerve)
4. 단족무지굴근과 신경
   (Flexor hallucis brevis muscle and nerve)
5. 무지외전근과 신경
   (Abductor hallucis muscle and nerve)
6. 단지굴근과 신경
   (Flexor digitorum brevis muscle and nerve)
7. 내측족저신경(Medial plantar nerve)
8. 경골신경(Tibial nerve)
9. 굴근지대(Flexor retinaculum)

10. 내측종골지(Medial calcaneal branch)
11. 비복신경의 외측종골지
    (Lateral calcaneal branch of sural nerve)
12. 외측족저신경(Lateral plantar nerve)
13. 족저방형근과 신경
    (Quadratus plantae muscle and nerve)
14. 소지외전근(Abductor digiti minimi muscle)
15. 둘째 셋째 넷째 충양근(2nd 3rd 4th lumbrical muscle)
16. 총척측지신경, 고유척측지신경
    (Common and proper plantar digital nerve)

그림 8-12. 경골신경의 해부학적 위치와 피부신경지배

2. 발목과 발

후경골신경은 굴근지대의 근위부에서 내측종골지(medial calcaneal branch)들을 내어 뒤꿈치 피부와 족저 내측면을 지배한다. 내측족저신경 (medial plantar nerve)은 경골신경의 두 종말분지들 중 더 큰 분지이다. 이 신경은 굴근지대 하방에서 나와 내측족저동맥의 외측, 무지외전근(abductor hallucis) 하방으로 주행하여 무지외전근과 단지굴근(flexor digitorum brevis) 사이에 위치하게 된다. 외측족저신경(lateral plantar nerve)은 손의 척골신경과 비교할 수 있는데, 피부와 근육의 분포를 모두 포함한다. 이 신경은 새끼발가락과 넷째발가락의 외측 절반의 피부를 지배하고 발 대부분의 심부근육들을 지배한다. 이 신경은 외측족저동맥의 내측을 따라 전방으로 주행하여 단지굴근과 장지보조굴근(flexor digitorum accessorius longus) 사이와 다섯째 중족골의 결절을 향한다. 외측족저신경은 단지굴근과 소지외전근(abductor digiti minimi) 사이에서 천신경지와 심신경지로 나뉜다. 외측족저신경은 두 신경지들로 나눠지기 전에 장지보조굴근과 소지외전근을 지배한다. 작은신경지들은 족저근막을 통과하여 족저 외측면의 피부를 지배한다.

외측족저동맥과 함께 주행하는 외측족저신경의 심신경지는 굴건과 무지내전근(adductor halluces)의 심부를 통과한다. 심신경지는 2~4번째 충양근, 무지내전근과 넷째 중족공간을 제외한 모든 골간근을 지배한다. 천신경지는 두 개의 총족저측지신경(common plantar digital nerve)으로 나뉘어 다섯째 발가락의 외측면, 단소지굴근, 넷째 중족골간공간의 골간근을 지배한다 [그림 8-12, 8-13] [표 8-2].

 비복신경(Sural nerve)

비복신경은 경골신경과 비골신경의 두 부분으로 이루어진다. 경골신경은 슬와의 중간 정도에서 하나의 피신경지인 비복신경을 낸다. 비복신경은 비복

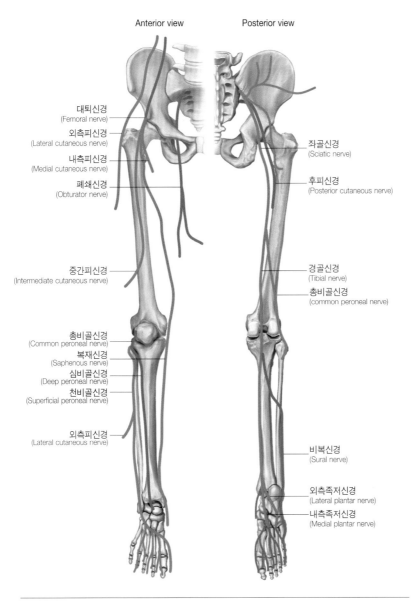

Anterior view   Posterior view

대퇴신경
(Femoral nerve)

외측피신경
(Lateral cutaneous nerve)

내측피신경
(Medial cutaneous nerve)

폐쇄신경
(Obturator nerve)

중간피신경
(Intermediate cutaneous nerve)

총비골신경
(Common peroneal nerve)

복재신경
(Saphenous nerve)

심비골신경
(Deep peroneal nerve)

천비골신경
(Superficial peroneal nerve)

외측피신경
(Lateral cutaneous nerve)

좌골신경
(Sciatic nerve)

후피신경
(Posterior cutaneous nerve)

경골신경
(Tibial nerve)

총비골신경
(common peroneal nerve)

비복신경
(Sural nerve)

외측족저신경
(Lateral plantar nerve)

내측족저신경
(Medial plantar nerve)

그림 8-13. 주요 하지 말초신경의 주행경로

표 8-2. 하지의 주요 말초신경들

신경	신경근	운동신경분포	감각신경분포	운동기능	신경병변
대퇴신경 (femoral nerve)	L2-4	· 장요근, 치골근, 봉공근, 대퇴사두근	· 대퇴, 하퇴의 전방, 내측면 피부 · 발후방부	고관절의 굴곡 슬관절의 신전	· 대퇴신경 신경병증 - 대퇴, 슬, 하퇴의 감각변화 - 슬 또는 하퇴의 근력약화: 계단 오르내리기 어려움
좌골신경 (sciatic nerve)	L4-S3	· 슬와부근육 (반건상근, 반막상근, 대퇴이두근) · 경골신경 : 하퇴 후방부와 족저의 근육들 : 총비골신경 · 하퇴 전방. 외측의 근육들	· 발과 하퇴 전체(내측면 제외)의 피부	대퇴의 내전, 내회전, 고관절의 신전, 슬관절의 굴곡	· 좌골신경 신경병증 - 발, 발목, 슬관절굴곡의 근력약화, 아킬레스건반사의 소실 - 발과 슬 하방 외측하퇴의 감각소실 - 좌골신경통(sciatica): 좌골신경 분포를 따라 통증적 감각이상
비골신경 (peroneal nerve)	L4-S2	· 천비골신경 : 하퇴 외측의 근육들(장비골근, 단비골근) · 심비골신경 : 하퇴 전방의 근육들(전경골근, 장무지신근, 장지신근, 제삼비골근	· 총비골신경 : 하퇴 상부의 전방, 외측의 피부 · 천비골신경 : 하퇴 원위부 ⅓의 피부, 발등 · 심비골신경 : 첫째, 둘째 발가락 사이 피부	- 천비골신경 : 발의 외번과 족저굴곡 - 심비골신경 : 발의 배측굴곡, 발가락의 신전	· 비골신경 마비 - 족하수(foot drop): 발 외번과 족저굴곡의 약화 - 후외측 발과 하퇴의 감각소실
경골신경 (tibial nerve)	L4-S3	· 비복근, 슬와근, 족척근, 가자미근 · 가자미근 하방 : 후경골근, 장지굴근, 장무지굴근 · 발 : 내측족저신경: 무지외전근, 단지굴근, 단족무지굴근, 첫째충양근 · 외측족저신경 : 족저방형근, 단소지굴근, 무지내전근, 골간근, 세개의 충양근, 소지외전근	· 내측족저신경 : 족저 내측, 내측 3½ 발가락 · 외측족저신경 : 족저 외측, 외측 1½ 발가락	발의 족저굴곡, 내번, 발가락의 굴곡	· 경골신경 신경병증 - 족저와 발가락의 감각변화, 통증 - 발 근육들, 발가락의 근력약화
비복신경 (sural nerve)			· 하퇴 후외측 피부, 발과 새끼발가락 외측피부		· 비복신경 신경병증 - 하퇴 후외측의 감각변화, 통증

근의 두개의 두 사이의 근막 심부로 주행하여 내려온다. 비복신경은 비복근의 두개의 두 사이의 구를 따라 내려와 하퇴의 심근막을 통과하여 외측비복신경과 만난다. 소복재정맥(small saphenous vein)과 함께 주행하는 비복신경은 외측복사와 아킬레스건(achilles tendon) 전방면 사이의 구역으로 주행하여 내려온다. 경골신경과 비골신경이 만나는 지점은 외측복사의 원위부부터 슬와까지 다양하다. 외측복사의 원위부에서 비복신경은 발의 외측 경계를 따라 주행하고 새끼발가락의 외측에서 끝난다. 비복신경은 하퇴의 원위부 ⅓의 후방과 외측의 피부와 발의 외측 경계에서 새끼발가락까지를 지배한다[그림 8-10, 8-13] [표 8-2].

참고문헌

1. de Seze MP, Rezzouk J, de Seze M, Uzel M, Lavignolle B, Midy D, et al. Does the motor branch of the long head of the triceps brachii arise from the radial nerve? An anatomic and electromyographic study. Surgical and radiologic anatomy : SRA. 2004;26(6):459-461.

2. Enneking KF, Chan V, Greger J, Hadžic A, Lang SA, Horlocker TT. Lower-Extremity Peripheral Nerve Blockade: Essentials of Our Current Understanding. Regional anesthesia and pain medicine. 2005;30(1):4-35.

3. Flores AJ, Lavemia C, Owens PW. Anatomy and physiology of peripheral nerve injury and repair. AMERICAN JOURNAL OF ORTHOPEDICS-BELLE MEAD-. 2000;29(3):167-178.

4. Grant GA, Goodkin R, Kliot M. Evaluation and surgical management of peripheral nerve problems. Neurosurgery. 1999;44(4):825-839.

5. Guerri-Guttenberg RA, Ingolotti M. Classifying musculocutaneous nerve variations. Clinical anatomy. 2009;22(6):671-683.

6. Kim DH, Hudson AR, Kline DG. Atlas of peripheral nerve surgery: Elsevier Health Sciences; 2012:107-63,191-234.

7. Lee SK, Wolfe SW. Peripheral nerve injury and repair. Journal of the American

Academy of Orthopaedic Surgeons. 2000;8(4):243-252.

8. Lundborg G, Dahlin LB. Anatomy, function, and pathophysiology of peripheral nerves and nerve compression. Hand clinics. 1996;12(2):185-193.

9. Mazurek MT, Shin AY. Upper extremity peripheral nerve anatomy: current concepts and applications. Clinical orthopaedics and related research. 2001;383:7-20.

10. Netter FH. Atlas of Human Anatomy, Professional Edition: including NetterReference. com Access with Full Downloadable Image Bank: Elsevier Health Sciences; 2014:398-531.

11. Ortigiiela ME, Wood MB, Cahill DR. Anatomy of the sural nerve complex. The Journal of hand surgery. 1987;12(6):1119-1123.

12. Vloka JD, Hadzic A, Drobnik L, Ernest A, Reiss W, Thys DM. Anatomical landmarks for femoral nerve block: a comparison of four needle insertion sites. Anesthesia & Analgesia. 1999;89(6):1467.

찾아보기 INDEX

학생과 전공의 시절 영문으로 된 신경해부학을 여러번 읽어봐도 도대체 무슨 말인지 이해가 되지 않아 망연했던 적이 있었습니다. 어렵기만 하게 느껴졌던 신경해부학을 보다 쉽게 이해시키기 위해 이 책자를 준비하였습니다.

척수의 신경해부학은 세부적으로 공부하면 이해가 어렵지만 조금 한발짝 떨어져서 숲을 보는 느낌으로 살펴보면 매우 체계적으로 구성되어 있다는 것을 알 수 있습니다. 마치 수학공식을 몇개 알고 있으면 여러개의 방정식이 풀리는 원리와 같이 신경해부학을 관통하는 원칙을 알고 있으면 신경계의 배치와 기능이 모두 한 눈에 들어오게 됩니다.

이 원칙을 들여다보기위해서는 신경계를 발생학적으로 바라보는 관점이 필요합니다. 이는 신경계가 발생학적으로 매우 조기에 형성이 되고 그것이 성인이 된 이후까지 큰 변동이 없이 유지가 되기 때문일 것입니다.

이 책은 신경계에 전공을 갖고 신경해부학을 공부하는 분들이 이러한 발생학적인 관점에서 발전되는 원리를 이해함으로서 신경해부학을 보다 쉽고 원리적으로 이해할 수 있도록 노력하였습니다.

이 책자를 집필할수 있게 동기를 부여해주신 척추학회 회장님과 상임위원님들게 감사드립니다. 책자 제작을 위해 편집위원장님과 저자들과 여러차례 만나면서 밤 늦게까지 원고를 검토하고 수정했던 기억을 뒤로하고 막상 책이 독자의 손에 넘겨지게 되니 다소 걱정스러운 마음도 듭니다.

빠른 시간내에 책자를 완성하고자 박차를 가했지만 불완전한 부분도 있을 것입니다만 이제 독자들의 평가에 맡겨야 하겠습니다. 원고를 집필하고 수정까지 하는 어려운 과정에 참여해주신 편집위원장님 및 집필진들께 다시한번 깊은 감사의 말씀을 드립니다.

대한척추신경외과학회 교과서편찬위원회 간사 **임수빈**